S0-BFA-945

TACK TILL ALLA ER SOM BIDRAGIT MED RECEPT TILL

SVERIGES NYA
LANDSKAPSRÄTTER

Redaktör: Tony Wallin
Text: Anna Gidgård
Foto: Pepe Nilsson
Illustrationer: Christina Andersson
Upplagning och styling: Jacob Gray
Formgivning: Karin Löwencrantz

Redaktionsassistent: Richard Hante
Assistent vid upplagning och styling: Mikael Göransson
Porträttfoto: Martin Löf
Kungafoto: Jakob Fridholm
Kungatext: Tony Wallin
Landskapstext: Lars Lundqvist
Korrektur: Per Johan Hasselqvist

Recepturval: Camilla Thörnqvist, Ellinor Jidenius,
Tony Wallin, Leif Grönlund och Jacob Gray
Receptredigering: Ellinor Jidenius, Tony Wallin,
Lina Wallentinson och Camilla Thörnqvist
Research: Anna Gidgård, Tony Wallin, Camilla Thörnqvist,
Annie Nyberg, Lina Wallentinson, Ellinor Jidenius,
Paulin Arildsson, Camilla Östman och Richard Hante
Rekvisita: Anne Sydquist, Ylva Bergqvist och Pepe Nilsson

© ICA AB
Repro: Done
Tryck: Grafiche Flaminia, Italien 2010
Produktion: OTW Publishing AB

ISBN 978-91-534-3522-8

SVERIGES NYA LANDSKAPSRÄTTER. Chili-saffranspannkaka med primörsallad. Dalafilé med äppelportvinssås. Driva på frusen älv. Harbiffar med svampsås. Helstekt strutsbiff med rotfrukter. Honungsglaserad vildsvinsstek. Hälsinge hamboni. Jämtländsk viltgulasch. Laxdolmar med ärtvinägrett. Laxlindad torskrygg med grönkålstimbal. Laxlåda med surströmming. Långbakad grissida med morotspuré. Mandelpotatisvåffla med siksallad. Morotssoppa med laxspett. Mälargös med bond-bönor och upplandskubbskrisp. Paltmuffins med lyxiga tillbehör. Pumpa med pistaschvinägrett. Renskavsgryta med kryddiga hjortron. Senaps-marinerad sill med potatissallad. Skogsströmming med potatispuré. Skrädmjölsraggmunk med älg-pytt. Smält märgpipa. Stormaktslåda. Tjälknöl på rådjur med potatisgratäng à la Bredsjö. Älgfilé med kanel- och vinbärssås samt rotfruktskaka.

Förord

DETTA ÄR HISTORIEN OM SVERIGES NYA LANDSKAPSRÄTTER.
Vi skulle kunna börja i forntiden när Sveriges första landskap
bildades. Eller på 1800-talet. Det var då intresset för våra
landskapsrätter väcktes. Det skedde i och med industrialise-
ringen, inflyttningen till städerna och inrättandet av hushåll-
ningssällskapen. Eller så börjar vi på 1900-talets första del när
vi fick våra första landskapssymboler.

Men nej, låt oss gå direkt till våren 2009. Fortfarande håller
man då i många delar av landet hårt på sina landskap och vad
som hör därtill. Hallänningarna har sin lax och grönkål, öst-
götarna älskar sina raggmunkar, och säg den ångermanlänning
som inte är stolt över sin surströmming. Trots detta, och trots
att vi fått landskapsdjur, mossor och till och med landskaps-
metaller, saknas det officiell landskapsmat.

Därför utlyste Buffé och ICA en omröstning om vilka som
är våra traditionella landskapsrätter. Vi listade ett antal land-
skapstypiska rätter som sotare, äggost och flötgröt. Till vår hjälp
hade vi lokala experter från hushållningssällskap och länsmu-
seer, kokboksförfattare med flera. Omröstningen pågick under
en månad i realtid på ICA.se. Stundtals blev den dramatisk.
Som då ett blogguppror manade till röstning på sorundatårtan
i Sörmland som låg efter korngryn med fläsk... Det lönade sig!
Totalt var det 15 000 som röstade fram Sveriges traditionella
landskapsrätter. Alla rätterna finns med i den här boken.

NÄVGRÖT OCH KOLBULLAR i all ära – utvecklingen har gått
framåt. Botaniserar vi bland lufsor, buttor, bitå och törter har
de flesta mest ett nostalgiskt skimmer kvar. Idag är fler be-
kanta med nudlar och wok, pasta och pizza, sushi och meze.

Samtidigt blåser det inhemska vindar. Trenden har vänt till
förmån för lokalt hantverk och förädling av de produkter som
jord och skog, hav och sjö ger oss. Närodlat och lokalproduce-
rat har blivit honnörsord. Det finns inte en stjärnkrog som inte
nämner från vilken uppfödare köttet kommer eller vilket ysteri
som skapat osten. Vi har fått nya spännande lokala »skafferier«
att laga ur. Steget var därför inte långt till en recepttävling om
modern landskapsmat.

TRE TUSEN RECEPT strömmade in och sysselsatte fem personer
i flera veckor med att läsa, diskutera och välja ut 250 av dessa.
I Buffés provkök trängdes kockarna och provlagade så spisarna
glödde. 75 rätter gick till final; tre från varje landskap.

ICA köket tog över och lagade upp dessa rätter på nytt.
25 olika jurygrupper med 6–8 personer i varje tog sig an den
något mättande uppgiften att äta och bedöma dem. Lands-
hövdingar, ICA-handlare och andra matglada människor reste
till från landets alla delar för att vara med och välja ut våra
nya landskapsrätter (hela juryn finns listad längst bak).

Samtidigt som detta ägde rum stod två kockar i vår foto-
studio och lagade upp rätterna ännu en gång för att skapa
matbilder. Och som om inte detta var nog provlagades många
rätter en fjärde och femte gång för att säkerställa recepten.

Efter denna gastronomiska odyssé var det dags för alla som
bidragit med vinnande recept att resa till Stockholm och bli
fotograferade och filmade. Därefter återstod »bara« att sätta
samman allt material till denna välsmakande bok.

Nu kan *du* också göra en fantastisk matresa genom Sverige.
Varför inte börja längst uppe i norr, där inte helt oväntat ren-
skav blev vinnande rätt. Mindre väntat var kanske att den hade
starka inslag från Thailand i form av kokosmjölk, chili och
koriander... Fortsätt sedan söderut där många fler spännande
rätter väntar dig. Och som om inte det vore nog bjuds du först
på ett recept från självaste kung Carl Gustaf. Smaklig måltid!

Tony Wallin, redaktör

VACKRA ILLUSTRATIONER

Hur fångar man bäst känslan i våra landskap? Frågan ställdes till konstnären Christina Andersson. Hennes tolkningar blev mönsterlika illustrationer med viktiga och tongivande landskapssymboler, alltifrån djur och blommor till kännetecknande matinslag.

I SKAFFERIET

Intresset för småskaligt mathantverk och omhändertagande av lokala specialiteter har vuxit starkt under de senaste decennierna. Idag är dessutom närodlat och lokalproducerat rena honnörsorden. Här ges några axplock på specialiteter som vi hittat i våra lokala skafferier, alltifrån ysterier till destillerier.

TRADITIONELLA LANDSKAPSRÄTTEN

På 1800-talet bildades Sveriges hushållningssällskap, och då grundlades intresset för vår landskapsmat. Många rätter har gjort anspråk på att vara våra traditionella landskapsrätter. Men vilka är de? Frågan ställdes under våren 2009 till svenska folket. 15 000 svarade. Och resultatet kan du finna i den här boken.

OM LANDSKAPEN

Sedan forntiden har vi haft svenska landskap. Trots att deras politiska och administrativa betydelse försvann för flera hundra år sedan delar vi fortfarande in landet i 25 landskap. Här får du en kort presentation av dem, 10 000 år på 1 000 tecken. Dessutom bjuds du på ett dialektalt matcitat. Om du inte förstår detta, se längst bak.

NYA LANDSKAPSRÄTTEN

I september 2009 utlystes recepttävlingen om Sveriges nya landskapsrätter. 3 000 recept strömmade in. Dessa grovsållades av fem matproffs. Sedan provlagades ett par hundra rätter. 75 valdes ut till final. Dessa bedömdes av 25 jurygrupper, en för varje landskap, med 6–8 personer i varje. Recepten justerades och rätterna fotograferades. Och här kan du nu njuta av Sveriges nya landskapsrätter.

FLER MODERNA RÄTTER

75 rätter gick till final. Och de bedömdes – inte bara utifrån smak och utseende, utan även efter hur väl de representerade det lokala skafferiet, och hur pass väl de stämde in på att vara »modern landskapsmat lagad med en nypa tradition«. Många väldigt goda rätter blev inte vinnare, men de var så pass bra att de ändå – med råge – platsar i den här boken.

INNEHÅLL

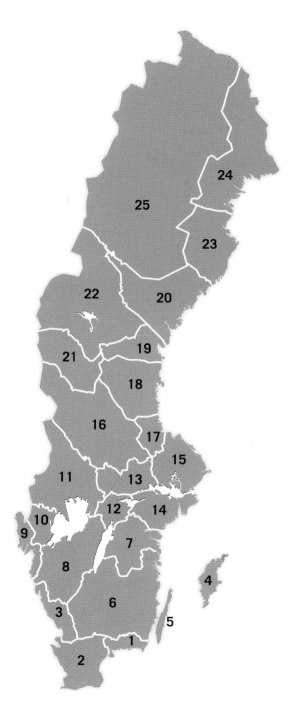

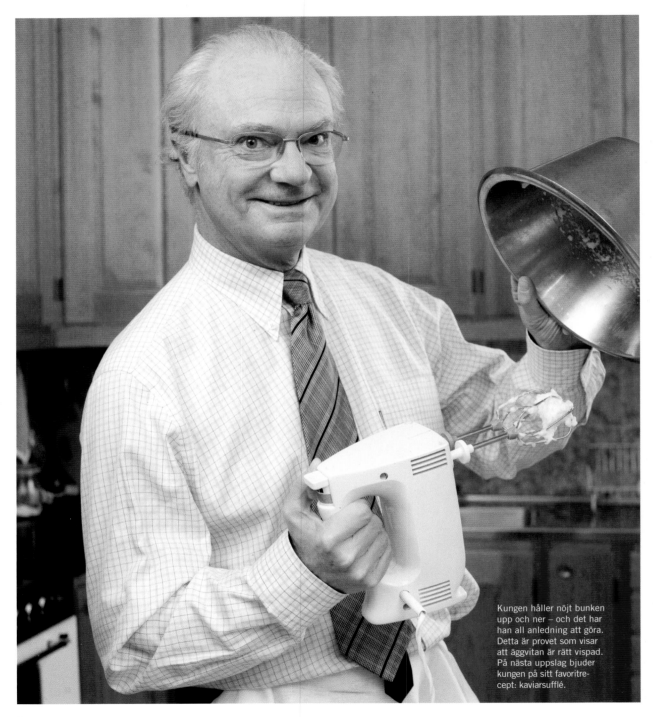

Kungen håller nöjt bunken
upp och ner – och det har
han all anledning att göra.
Detta är provet som visar
att äggvitan är rätt vispad.
På nästa uppslag bjuder
kungen på sitt favoritre-
cept: kaviarsufflé.

Välkommen
TILL KUNGENS KÖK

Denna bok, som handlar om våra nya landskapsrätter, börjar i Stockholm. Med kaviarsufflé. Kung Carl XVI Gustaf har bjudit in oss till sitt högst privata kök på slottet. Ett kök i mörkbrunt och avokadogrönt. Ett kök som utstrålar mer hemkänsla än modernitet.

NÄR KUNGEN VISPAR äggvita och klämmer kaviar ur tuben med hans namne märks det genuina matintresset. Kungen är välkänd för sitt menyarbete då representationsmiddagar ska sättas samman. Han är också ledamot av Gastronomiska akademien, innehar tallrik nr 17. Kungen har också ett jordnära matengagemang som arrendator av Stenhammars gods i Sörmland, med jordbruk och boskapsuppfödning.

Kung Carl Gustaf lagar gärna mat, och bland favoriträtterna finns sufflé och en kycklingmousse som han kallar falsk ripa. Här får vi ta del av receptet på kungens kaviarsufflé, en rätt som han själv lagar utan recept! Kungen anser att den kan varieras på många sätt, och ugnstiden beror givetvis på hur pass krämig man önskar sufflén. Tillägget med sallad och hårt bröd anser han inte som alldeles nödvändigt.

Kungen har många kopplingar till våra landskapsrätter. Bland annat röner de öländska kroppkakorna stort intresse då bokens korrektur presenteras. Men kungen kan också ses som en symbol för våra landskap. Hur då?

Låt oss göra en kort historisk återblick. Sveriges monarki hör till de äldsta i världen, men idag har den mest en ceremoniell, representativ funktion. På nästan samma sätt är det med våra landskap, vars historia sträcker sig ända tillbaka till forntiden.

Redan på 1200-talet delades landskap upp i hertigdömen. När Gustav Vasa skrev sitt testamente fick tre yngre söner bli hertigar med stor självständighet. Men det gillade inte den äldre, trontillträdande Erik XIV, som såg till att kronans makt stärktes på hertigdömenas bekostnad.

På 1600-talet byggdes slott och borgar som aldrig förr och det bildades slottslän. I samma veva försvann landskapens politiska och administrativa betydelse.

Landshövdingarna kallades »konungens befallningshavare« och länen blev »hövdingadömen«.

År 1772 blev hertigarnas makt ytterligare begränsad till enbart en hederstitel. Och så är det än idag.

Kung Carl XVI Gustaf är hertig av Jämtland. Prins Carl Philip är hertig av Värmland. Sedan 1980 blir prinsessor på motsvarande sätt hertiginnor. Kronprinsessan Victoria är hertiginna av Västergötland och prinsessan Madeleine är hertiginna av Hälsingland och Gästrikland. Prins Bertil var hertig av Halland och efter hans död är prinsessan Lilian hertiginna av detta landskap.

Trots att landskapens politiska och administrativa betydelse försvunnit lever de vidare, åtminstone i våra hjärtan. Vi kommer nog även fortsättningsvis att vara mer närkingar, smålänningar och ångermanlänningar än jämförbara läns- eller regionsbor. Inte minst övertygar alla traditionella och nyskapade landskapsrätter i denna bok om detta. Men först får vi ta del av kungens lättlagade och mycket goda kaviarsufflé.

KUNGENS KAVIARSUFFLÉ

Kung Carl Gustaf: Jag bidrar med ett recept innehållande ingredienser som många ofta har hemma, och som alla kan laga.

För 4 personer
3 ägg (medelstora)
2 dl crème fraiche
1 msk vetemjöl
3 msk Kalles kaviar
  (eller liknande
  lättrökt kaviar)
2 msk finhackad
  schalottenlök
3 msk finskuren
  gräslök
1 krm salt
1 krm vitpeppar
smör och mjöl
  till formarna

Gör så här:
1. Sätt ugnen på 220°C, eller 200°C varmluft.
2. Dela äggen i gulor och vitor.
3. Blanda äggulorna med crème fraichen till en slät smet. Sikta ner 1 msk vetemjöl. Tillsätt kaviar, schalottenlök, gräslök, salt och peppar. Rör om tills allt blandats väl.
4. Vispa äggvitorna till ett hårt skum. Bunken ska kunna hållas upp och ner.
5. Vänd försiktigt ner äggvitorna i crème fraiche-blandningen.
6. Smöra 4 ugnssäkra kokotter/portionsformar (à ca 1 1/2 dl). Mjöla dem lätt, vänd runt så mjölet täcker insidan med ett tunt lager.
7. Fyll formarna till 3/4 med sufflésmeten. Ställ på en plåt/galler i mitten av ugnen. Beräkna 9 minuter för varmluftsugn och 10 minuter för vanlig ugn.
8. Servera suffléerna genast. Gärna med tillbehören som föreslås här nedan.

TIPS! SUFFLÉTILLBEHÖR
Kokbokens stylistkock Jacob Gray har lämnat följande förslag: Skölj 70 g blandade späda salladsblad eller salladsskott, tex mangoldskott. Låt rinna av väl, eller slunga dem torra. Vispa samman 2 msk olivolja och 1 msk vinäger. Lägg upp salladen på 4 assietter och dresse dem lätt med vinägretten. Servera med hårt bröd, tex hällbröd från Härjedalen, och en rejäl skiva kryddost, varför inte jubileumsost från Jürss mejeri i Sörmland, en ost som togs fram till kungens 60-årsdag.

Landskapen
SOM FORMADE SVERIGE

Redan på 1600-talet tappade våra landskap makten till länen och landshövdingarna. Men eftersom länens gränser sammanfaller ganska bra med landskapens föll det naturligt på landshövdingarnas lott att vara officiell person med extra insikt och kunskap om landskapet då Sveriges nya landskapsrätter skulle utses.

Här följer en kort historisk beskrivning av våra landskap och hövdingadömen.

LANDSKAPENS HISTORIA HANDLAR till stor del om berättelsen om Sveriges bildande. Den kan hänföras till forntiden, långt innan Sverige var en suverän stat. Skillnaderna är förstås stora landskapen emellan, men i flera fall finns det belägg redan från 800-talet – om än namnens geografiska utsträckning är oklar. Landskapen hade, åtminstone från 1250-talet, en politisk och rättslig funktion och utgjorde egna lagsagor med egen lagstiftning i form av landskapslagar. Landskapets fria män träffades på landsting fyra gånger årligen och behandlade politiska, ekonomiska och rättsliga frågor. Här bör påpekas att landskapen även var en geografisk benämning.

Så bestod exempelvis Småland av två olika lagsagor. Lands-

tingens politiska och ekonomiska roll minskade i takt med att kungamakten stärktes under 1300- och 1400-talet, med bl a riksdagens tillkomst och en för riket gemensam lagstiftning. Detta till trots kom landsting att fortsätta hållas i vissa landskap ända in på 1700-talet, om än utan de fornas betydelse, regularitet eller officiella status.

VAPENSKÖLDAR Till Gustav Vasas begravning 1560 och väl i linje med renässansfurstarnas förkärlek för det ceremoniella lät Erik XIV, troligen efter inspiration från utlandet, skapa vapensköldar åt landskapen.

Flera av dem fanns sedan tidigare och har även bevarats i

medeltida sigill, Gotlands redan från 1280. Någon organiserad administrativ förvaltning på landskapsnivå fanns inte under 1500-talet, det var därför naturligt att landskapen användes. Först på 1610-talet började dagens form av länsorganisation utvecklas, senare befäst i 1634 års regeringsform. Målet var att länen skulle överensstämma med landskapen – en idé som dock inte fullföljdes.

Småland, med sina tre län, var exempelvis tänkt att kompletteras med en guvernör med ansvar för landskapet som helhet. Men även landskapens gränser kunde ändras, och i Västmanlands fall var det i stället landskapet som fick utvidgas till de nya länsgränserna. Att även Norrbotten kom att börja betraktas som ett eget landskap efter länsdelningen 1810 visar på att kopplingen mellan län och landskap sågs som väsentlig – även om det skulle dröja till 1995 innan Norrbotten fick sitt landskapsvapen.

IDENTITETEN VIKTIG Den historiska kopplingen, likaväl som den geografiska, är av central betydelse för den regionala identiteten. Landskapen förenade detta, och de blev därför naturligt grunden för uppdelningen i Uppsalas studentnationer under 1600-talets början och i kartor och planschverk. Ett exempel på det senare är Erik Dahlbergs *Svecia Antiqua* (1716) med teckningar över svenska byggnader, där indelningen strikt följer landskapen, beprydda med landskapsvapnen. Även skolbarnen fick med tiden lära sig landskapen i stället för länen. Det mest kända exemplet är förstås Selma Lagerlöfs

Nils Holgerssons underbara resa. Länsstyrelsernas geografiska utbredning blev på detta sätt främst av administrativ betydelse. Landskapen hade funnits före Sveriges bildande, och en identitet, äldre än nationalstatens, hade uppstått som har bevarats in till modern tid.

HÖVDINGADÖMET Då länsstyrelserna grundades 1634 benämndes landshövdingen »Konungens befallningshavare« och länet kallades »Hövdingadömet«. Landshövdingarna var alltså kungens befattningshavare och hans närmaste män på länsnivå. På 1600-talet sågs kroppen som en symbol för samhället. Landshövdingen var huvudet; den tänkande och samordnande kraften.

Här ingick att medla gentemot de olika ståndens krav och önskemål, men även att kunna varna kungen om det exempelvis jäste oro bland bondebefolkningen. Kontrollen över att fogdar och andra tjänstemän utförde sitt arbete och att de inte missbrukade sin ställning var en väsentlig uppgift.

Med demokratiseringen på 1800-talet och upprättandet av centrala myndigheter kom landshövdingarnas roll att minska, och när landstingen infördes 1862 hamnade en stor del av det praktiska arbetet där. Lejonparten av besluten kom dock att underställas länsstyrelsen ända fram till 1923. Idag fungerar länsstyrelserna främst som en regional tillsynsmyndighet med landshövdingen som chef. Kungen utnämner sedan 1975 inte längre landshövdingar, men liksom kungen är en representant och symbol för Sverige är landshövdingarna det för landets län.

Tvätta di om nävarna, vi ska äita

BLEKINGE är litet; inte mer än fyra mil mellan Östersjökusten i söder och gränsen till Småland i norr. Landskapet verkar kanske anspråkslöst men har en strategiskt viktig plats. Historieböckerna berättar om blodiga uppgörelser mellan danskar och svenskar i snapphanebygden, som fått namn från dem som länge kämpade för att Blekinge skulle bli danskt igen.

Blekinge har kallats både Sveriges potatisåker och Sveriges trädgård, men det är ändå kusten som mest förknippas med landskapet. Här är havet nära, oavsett om du står i en glänta i bokskogen eller på stranden. Lummiga skärgårdsöar ligger bara några mil från djupa granskogar med småberg och svarttjärnar. I havet fiskas lax, torsk och sill, och Mörrumsån som forsar genom Blekinge är känd för sin storvuxna lax och öring. Människor har bosatt sig längs åns dalgång sedan stenåldern. I rökerierna längs kusten förädlas fisken.

Landskapets matkultur har influerats av både Danmark, Skåne, Småland och Öland, vars kroppkakor här ibland har fått en fyllning av ål.

>»Anknyter till Blekinges maritima traditioner och är uppskattad av Blekingebor i generationer.«
>
> *Gerd Magnusson*

SJÖMANSBIFF

Sjömansbiff är gjord efter devisen »det enkla är det godaste«. Man varvar nötkött, lök och potatis i en gryta och låter det koka i öl och buljong. Den enkla tillagningen gjorde den populär som rätt även till sjöss.

För 4 personer

500 g lövbiff	1 1/2 msk
1 kg potatis	konc oxfond
4 gula lökar	1 lagerblad
1 tsk timjan	1 dl hackad
1 flaska mörkt	persilja
öl (33 cl)	smör
2 dl vatten	salt, vitpeppar

Gör så här:

1. Skala potatisen och skär i 1/2 cm tjocka skivor. Skala och skär löken i tunna skivor. Bryn löken i 1 msk smör. Ta upp löken. Bryn sedan köttet på båda sidorna i 1 msk smör.
2. Varva potatis, lök och kött i en gryta. Krydda mellan varven med 1 tsk salt, 3 krm peppar och timjan.

3. Häll på öl och vatten blandat med fond. Tillsätt lagerbladet.
4. Låt småkoka under lock ca 45 minuter eller tills köttet känns mört.
Servera direkt ur grytan och garnera med hackad persilja.

I skafferiet

Potatis och trädgårdsväxter, slanggurka och sill. Och bär av många sorter. Lilla Blekinge har det mesta från åker och hav. Längs kusten ligger rökerier med lax, torsk och öring. Här finns lamm och kryddgårdar, och den klassiska ankarstocken med surdeg som blivit i ropet igen.

BROFÄSTET

Senoren är en ö i Karlskronas skärgård. Vid brofästet finns gårdsbutik med lokalt producerad mat, säsongens obesprutade primörer, rökt fisk och deras egen senorenpotatis. I kafét kan man äta blekingekroppkakor och stekt sill. Och som avslutning plocka blommor i självplock.

HENNINGS

Utanför Hennings rökeri i Hällevik ligger det alltid en stor vedstapel av alved, som ger fisken den goda smaken och den gyllenbruna färgen. Här lever man med fisket sedan generationer tillbaka. På krogen vägg i vägg kan man ta en liten sillamacka eller en lyxig laxfylld spätta.

MATLEXIKON

Passlor är Blekinges svar på calzone och fylls med fläsk, lök och kryddpeppar. Rålåpor är ett slags raggmunk. Bulsa är rotmos. Kludda är en snabbvariant på kroppkaka där kroppkakesmet breds ut i en gratängform, täcks med rökt fläsk och gräddas i ugn som en potatisgratäng.

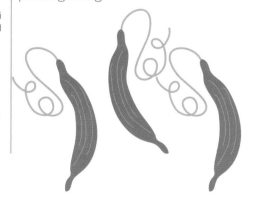

LAMM

Spjutsbygds gård är ett ekologiskt lantbruk i Blekinges skogsbygd. Den har varit i samma familjs ägo sedan mitten av 1600-talet, och idag drivs den av Lennarth och Ulla, som har 125 får att sköta om. I gårdsbutiken finns lammkött som rökt lammstek och lammfärs, honung och kryddor. Där finns även smålockiga lammskinn att köpa, eftersom allt på djuren tas om hand.

Visste du att...

Ankarstock är ett grovt rågbröd bakat med surdeg. Det togs med till sjöss och har fått sitt namn av att det hade samma färg som en gammal ankarstock i svartek, och ibland var lika hård.

ÄGGABODEN

I gårdsbutiken i Gärestad kan du köpa ägg från gårdens egna hönor, som går fritt inomhus, eller närodlade produkter från området: grönsaker, frukt och mjöl.

STURKÖ

I Bredaviks örtagård på Sturkö finns örtplantor till försäljning som gjorts extra härdiga i det ekologiska kallväxthuset. I krydd- och handelsboden finns kryddor blandade efter medeltida recept, örtteer och lavendelvinäger. På ön finns också Sturkö rökeri med hantverksmässig förädling, bland annat blekingerullar och varmrökt lax.

SENAPSMARINERAD SILL MED POTATISSALLAD

Vårfräsch rätt som serveras med en riktigt grön ljummen potatissallad och en mild sval gurkyoghurt.

För 4 personer
ca 900 g hel, urtagen sill
1 ägg
3 msk dijonsenap
1 tsk socker
2 dl vispgrädde
1 1/2 dl grovt rågmjöl
1/2 dl ströbröd
kallpressad rapsolja
smör, salt, peppar

Gurkyoghurt
1 liten gurka
2 msk ättiksprit (12 %)
4 msk socker
6 msk kallt vatten
1 dl hackad persilja
2 dl matyoghurt (10 %)

Potatissallad
400 g färskpotatis
250 g knippmorötter
8 rädisor
1 liten rödlök
2–3 salladslökar
2–3 msk färskpressad citronjuice
1 påse babyspenat

Gör så här:
1. Vispa ihop ägg, senap, socker och vispgrädde.
2. Skär bort huvudet på sillen. Lägg sillen i marinaden och vänd runt så att den täcks av smeten. Låt stå övertäckt i kylen 3 timmar.
3. **Gurkyoghurt:** Dela gurkan på längden. Skrapa ut kärnorna med en sked. Skär gurkan i mindre stavar. Blanda ättika, socker och vatten med 1 krm salt och 1 krm peppar. Vispa runt tills sockret har lösts upp. Blanda med gurkan. Ställ i kylen fram till servering.
4. **Potatissallad:** Koka potatisen mjuk. Skala och skär morötterna i 2–3 cm bitar. Koka morötterna mjuka.
5. Skär rädisorna i tunna skivor. Skala och skär rödlöken i tunna skivor. Strimla salladslöken.
6. Blanda potatis och morötter med 1/2 dl olja. Smaka av med citronjuice. Krydda med salt och peppar.
7. Blanda i rädisor, rödlök, salladslök och spenat strax före servering.
8. Häll av gurkan. Blanda med persilja och matyoghurt.
9. Ta upp sillen ur marinaden och låt rinna av.
10. Blanda rågmjöl och ströbröd. Vänd sillen i blandningen.
11. Stek sillen i omgångar i smör i en stekpanna, 2–3 minuter per sida, den ska få en knaprig yta. Salta och peppra under stekningen.
Servera genast med potatissallad och gurkyoghurt.

ANDREAS ALMÉN ÅLDER: 35 **FAMILJ:** Sambon Lotta, barnen Engla, 3 1/2, och Edvin, 1 1/2.
Andreas bor i Västerhaninge men kommer från Karlskrona, »en gång Blekingebo alltid Blekingebo«. Han jobbar som teatertekniker på Dramaten men är även skådespelare, och kock från början. Flyttade upp till Stockholm för att han fick jobb på Operakällaren. Andreas rätt senapsmarinerad sill har sin grund i Blekinge som skärgårdslandskap. Det var en självklarhet att välja sill som råvara. Andreas mormor lagade ofta sill med kokt potatis, sötsur sås och pressgurka, och det utgick han ifrån. Rätten kan varieras i det oändliga, med en fräsch potatissallad med mycket grönt på sommaren och en grönsaksstuvning till på vintern.

Nya landskapsrätten

»Sillen är intimt förknippad med Blekinge. Senap och rågmjöl ger den en god spröd panering. Serverad med somrig potatissallad och krämig gurkyoghurt är det en modern rätt som känns fräsch och nyttig.«

BÖCKLINGBAKELSE MED KANELÄPPLE

Richard Wangel, Örnsköldsvik: De friska, fräscha smakerna av äpple och rödbetor passar perfekt till den feta böcklingen.

För 4 personer

400 g böckling
2 msk äppelcidervinäger
+ 2 dl vatten
1 äpple (fast, syrligt)
1 kanelstång
1/2 liten gul lök
ca 150 g inlagda
rödbetor

1 dl crème fraiche
1 msk kapris
1 krm malen krydd-
nejlika
4 skivor kavring
1 hårdkokt ägg
(hackat)
salt, peppar

Gör så här:

1. Blanda vinäger och vatten. Skala, dela, kärna ur och skär äpplet i tärningar. Lägg dem i vinägerblandningen. Tillsätt kanelstången. Ställ kallt i kylen ca 1 timme.

2. Skala och finhacka löken. Skär rödbetorna i små tärningar. Sila av äppeltärningarna och ta bort kanelstången.

3. Blanda crème fraiche med lök, rödbetor, kapris och kryddnejlika samt hälften av äppeltärningarna. Smaka av med salt och peppar.

4. Rensa böcklingen fri från skinn och ben och dela i bitar.

5. Vänd ner böcklingen men spara några fina bitar till garnering.

6. Stansa eller skär ut en rundel från varje kavringskiva. Fördela böcklingröran på skivorna. Toppa med resten av äppeltärningarna, böcklingen och hackat ägg.

RÖKT SALT SILL MED PUNSCHGELÉ

Sofia Johannesson, Grythyttan: Sillens rökighet tillsammans med punschgelén och det brynta smöret blir en oväntad och spännande smakkombination i den här förrätten.

För 4 personer
700 g hel, urtagen sill
2 msk salt
2 msk socker
1 rökpåse för fisk i ugn
3/4 dl lingon (färska eller
    frysta, tinade)
Punschgelé
1 dl punsch
1 gelatinblad
Brynt gräslökssmör
100 g smör
3 msk finskuren gräslök

Gör så här:
1. Skär bort huvudet på sillen. Blanda salt och socker. Strö blandningen runt om och i fiskarna.
2. Punschgelé: Blötlägg gelatinbladet i kallt vatten 5 minuter. Värm punschen. Ta upp gelatinbladet. Krama ut vätskan och rör ner bladet i punschen. Häll den i en liten form, ca 6x6 cm, klädd med bakplåtspapper i bottnen.
3. Låt stå kallt ca 1 timme, tills det blivit till fast gelé.
4. Sätt ugnen på 250°C.
5. Lägg sillen i en rökpåse, se anvisning på förpackningen. Lägg påsen på en plåt. Ställ in i nedre delen av ugnen ca 15 minuter.

6. Ta ut påsen och låt stå 20 minuter.
7. Brynt smör: Hetta upp smöret i en liten kastrull. Dra från värmen när det börjar bli lätt brynt. Sila smöret genom en finmaskig sil. Blanda i gräslöken.
8. Stjälp upp punschgelén och dra försiktigt bort papperet. Hacka den fint.
9. Lägg upp sillen på tallrikar. Ringla brynt smör över och garnera med punschgelé och lingon. Servera med kokt färskpotatis. En skiva ankarstock (mjukt surdegsbröd) är gott till.

Möen mad, go mad, å mad i rättan tid

SKÅNE är ett lapptäcke av uppodlade åkrar, omgivet av hav på tre håll, med dungar av bok-skogar och vita stränder som utsmyckning. Förutsättningarna för odling är de bästa i landet med milt klimat, många soltimmar och bördig jord. Betor till foder och sockerframställning har fått sällskap av palsternacka, kålrot och rotselleri, chili och sparris. Potatis har varit grunden i mathållningen för generationer av skånska bönder, och idag finns där hundratals färskpotatissorter. Möllorna vittnar om vilken kornbod Skåne är, och det gör även de goda bröden, som stenugnsbakat mustigt rågbröd, eller kavringen som även används för att göra den specifika skånska äppelkakan. Men man kan inte prata om Skåne utan att nämna gås, ål och äpplen. Skåne betyder också gästgiverier, krogar och rökerier. Och Österlen skulle be-höva ett eget kapitel. Fisket har i perioder varit avgörande för överlevnaden, och sillen fanns i såväl rökt variant som inlagd och saltad.

Att använda mycket ägg i matlagningen var förr ett tecken på välstånd, så storbönderna var stolta när de kunde bjuda på äggakaka och spettekaka på de skånska kalasen.

»Om du på Skåne
vill smaka,
gör en äggakaka.«
Carin Olsson

ÄGGAKAKA

Äggakaka påminner om en ugnspannkaka men med extra mycket ägg. Under vintern värpte hönsen mycket sparsamt, så när våren kom och hönorna släpptes ut på grönbete och började värpa igen festade man på ägg. Därför äter vi så mycket ägg till påsk! En av hemligheterna med äggakakan är att den steks i fettet från fläsket som man först steker i pannan, så att det blir extra mycket smak.

För 4 personer
400 g rimmat sidfläsk i skivor
7 ägg
1 1/2 dl vetemjöl
6 dl mjölk (3%)
smör
salt, peppar

Gör så här:
1. Stek fläsket i en stekpanna. Lyft upp och håll varmt.
2. Vispa ihop ägg, mjöl, mjölk, 1 tsk salt och 1 krm peppar till en slät smet.
3. Häll smeten i den varma stekpannan. Stick här och där med en stekspade så att lös smet kan rinna ner och stelna.
4. När kakan har stelnat lite på ytan, vänd över den till ett grytlock eller en tallrik. Lägg 1 msk smör i stekpannan och låt äggakakan försiktigt glida tillbaka i stekpannan.
5. Grädda den andra sidan tills äggakakan stelnat helt.
6. Stjälp upp kakan och servera med fläsket och lingonsylt.

I skafferiet

I Skåne finns hundratals småskaliga livsmedelsproducenter, många av dem på Österlen. Den bördiga moränleran har gett de bästa förutsättningar för odling. Knallgula rapsfält sträcker sig från horisont till horisont. Här finns äpplets dag, pärans dag, primörernas dag, lutfiskens dag och sparrisdagar. För att inte tala om sillamarknad, Kiviks äppelmarknad och krusbärsfestivalen. Och så vidare.

SKÅNSKT VIN

I Skåne finns flera vingårdar som experimenterar med att ta fram skånskt vin. Kullabygdens vingård är en av pionjärerna som bevisat att det går att göra vin i Sverige.

GÅRDSMEJERIER

Vilhelmsdal är ett av alla skånska gårdsmejerier där allt sker i liten skala. Getmjölken kommer från deras egna getter och komjölken från en gård i närheten som har jerseykor. Ostarna innehåller inga tillsatser utan bara pastöriserad mjölk, löpe och salt. Österlen ädel, kittosten Lina och vit caprin är några av de ostar som håller på att bli klassiker.

ÄPPLE + CHILI = SANT

Glorias äppelgård har 14 000 träd och drivs av Gloria Nordlund, med rötter i Chile. Hon profilerar sig med annorlunda smaksättningar. Den populäraste är Glorias heta, som bygger på ett recept från farmor i Chile. Den innehåller piripiri, paprika och vitlök förutom äpplen. Gårdens paradisglögg är gjord på små röda paradisäpplen och våra svenska glöggkryddor samt några chilenska kryddor som Gloria tillsatt. En nyhet är chimmichurri-såsen till grillen.

KIVIKS ÅL OCH LAX

Ålfisket längs Skånes kust har urgamla anor, men på senare tid har ålförekomsten minskat. Ola Jonsson på Kiviks ål och lax fiskar själv ål, men genom Ålfonden arbetar han aktivt för att kompensera det han tar upp genom att sätta ut mängder av ålyngel.

HALLONGLÖGG

När Kerstin Biärsjö tog över släktgården ville hon göra något spännande av det. Det blev hallonodling. På Bodarpsgården kan man plocka hallon och krusbär under sommarmånaderna och fika med kaffekorg i hallonraderna. Dryckerna är tillverkade av kallpressade bär. Annat är hallonketchup, hallonglögg och whisky.

Visste du att ...

Linderödssvinet har sitt ursprung i det svenska skogssvinet, som strövade i Sydsveriges bok- och ekskogar fram till slutet av 1800-talet. Skånes djurpark räddade rasen när de tog hand om några av de sista brokiga grisarna.

LÅNGBAKAD GRISSIDA MED MOROTSPURÉ

Lång tid i låg temperatur gör fläcksidan härligt saftig och smakrik.
Spiskummin i morotspurén överraskar och den fräscha salladen lyfter
de syrliga tonerna.

För 4 personer
ca 600 g färskt sidfläsk
  i bit
2 tsk timjan
2 tsk rosmarin
2 msk flytande honung
smör, olivolja
salt, peppar
Morotspuré
4 morötter
1 gul lök
2 dl vatten + 1 tsk konc
  kycklingfond
2 msk crème fraiche
1–2 krm malen spis-
  kummin
Sallad
5 msk pinjenötter
100 g champinjoner
1 schalottenlök
1 syrligt äpple
50 g ärtskott
70 g salladsskott
2 msk vitvinsvinäger

Gör så här:
1. Sätt ugnen på 125°C. Skär ränder i fläcksvålen.
Gnid in svålsidan med timjan och rosmarin. Ringla
över honungen.
2. Krydda fläsket med 1/2 tsk salt och 1 krm peppar.
Lägg i en ugnssäker form med svålsidan upp och ställ
in i ugnen. Tillaga 3–4 timmar.
3. **Morotspuré:** Skala och skär morötterna i cm-stora
bitar. Skala och grovhacka löken. Koka dem mjuka
i vattnet tillsammans med fonden.
4. Häll av vätskan och spara den. Mixa morötter och
lök till en puré med stavmixer eller i matberedare
tillsammans med crème fraiche. Tillsätt ev lite av
kokvattnet. Krydda med spiskummin, 2 krm salt och
1/2 krm peppar.
5. **Sallad:** Rosta pinjenötterna i en torr och het stek-
panna. Skär champinjonerna i tunna skivor.
6. Skala och finhacka schalottenlöken. Dela, kärna ur
och skär äpplet i tunna skivor. Skär bort den nedre
delen på ärtskotten.
7. Blanda alla ingredienser till salladen med 3 msk
olja, 2 krm salt och 1 krm peppar.
8. Skär fläsket i fyrkantiga bitar och stek svålsidan på
medelvärme några minuter i smör tills den är krispig.
9. Värm morotspurén.
10. Lägg upp 1–2 fläskbitar på varje tallrik. Skeda
morotspurén vid sidan om. Lägg salladen i en liten
hög bredvid. Ringla ev lite sky över fläsket.

LINDA NILSSON ÅLDER: 27 **FAMILJ:** Fästmannen Nedal.
Linda bor i Malmö och är 100 procent skåning sedan födseln.
Hon är kock på restaurang Årstiderna och har ett stort mat-
intresse. Mat har alltid varit viktigt i hennes familj och betyder
umgänge och glädje. Hennes långbakade fläcksida utgår ifrån
skånska råvaror som fläsk, äpplen och morötter men twistas till
med spiskummin och ett krisp av rostade pinjenötter. Rätter
som står länge i ugnen är favoriter, de ger tid till umgänge!

Nya landskapsrätten

»Skånska färger och smaker har fångats på smakfullt sätt. I modern 'nose to tail'-anda långbakas färsk grissida till en skön kombination av saftigt kött och knaprig svål. Äpplen och ärtskott tillsammans med landskapssvampen champinjon ger fräschör och morotspuréns spiskummin visar på det mångkulturella inslaget.«

FISKFILÉ MED SIDFLÄSK

Cindy Håkansson, Malmö: Kombinationen av mild mjäll fisk, det rökta salta fläsket och det krämiga moset med överraskande äppelbitar i blir Skåne i modern tappning.

För 4 personer
600 g vit fiskfilé (tex gös)
1 kg potatis (mjölig sort)
300 g varmrökt sidfläsk
1 dl ljus sirap
1 dl äppelcidervinäger
1 syrligt äpple
1–2 dl varm mjölk
25 g smör
smör till formen
salt, peppar

Gör så här:
1. Sätt ugnen på 150°C.
2. Skala och skär potatisen i mindre bitar. Koka dem mjuka i lättsaltat vatten.
3. Lägg fisken i en smord ugnssäker form. Krydda med 1/2 tsk salt och 1 krm peppar.
4. Ställ in i ugnen 15–20 minuter, tills fisken är färdig.
5. Skär bort svålen på fläsket. Skär fläsket i 1/2 cm små tärningar. Stek fläsket ca 5 minuter i en stekpanna. Låt rinna av på hushållspapper.
6. Lägg tillbaka fläsket i stekpannan och häll på sirap och vinäger. Låt sjuda ca 10 minuter, tills såsen blir lite simmig. Ställ åt sidan och håll varmt.
7. Skala, kärna ur och skär äpplet i ca 1/2 cm små bitar.
8. Häll av potatisen och låt ånga av. Pressa genom en potatispress eller vispa med elvisp. Späd med mjölk, börja med den mindre mängden och tillsätt mer om det behövs.
9. Tillsätt smöret och vispa moset fluffigt. Vänd ner äppelbitarna i det varma potatismoset precis före servering. Smaka av med salt och peppar.
10. Servera fisken med fläsktärningar och mos. Kokta primörmorötter är gott till.

KALKON- OCH ÄPPELLASAGNE

Emma Dahlström Karlsson, Häljarp: Kalkon och getost, sparris och äpplen är goda ingredienser i det skånska skafferiet som här samsas i en krämig och smakrik lasagne.

För 4–6 personer

500 g kalkonfilé
1 gul lök
1 vitlöksklyfta
1 burk krossade tomater
(400 g)
1 dl vispgrädde
1 hönsbuljongtärning
1 msk tomatpuré
1/2 tsk timjan
2 äpplen
200 g lasagneplattor
(ca 12 stycken)

1–2 dl smulad getost
(av chèvretyp)
1 bunt grön sparris
(ca 250 g)
smör, salt, peppar
Getostsås
ca 250 g getost (av
chèvretyp)
5 msk vetemjöl
7 dl mjölk
1 krm malen muskot

Gör så här:

1. Sätt ugnen på 225°C. Skala och finhacka lök och vitlök. Skär kalkonen i cm-stora bitar.
2. Fräs löken i 1 msk smör ca 2 minuter. Lägg i kalkonen och låt den fräsa tills den fått lite färg.
3. Tillsätt tomatkross, vispgrädde, buljongtärning, tomatpuré samt timjan, 1/2 tsk salt och 2 krm peppar. Låt såsen småkoka på svag värme ca 20 minuter.
4. **Getostsås:** Smält 1 msk smör i en kastrull, vispa ner mjölet och tillsätt mjölken lite i taget. Låt såsen koka upp under omrörning och koka ca 5 minuter.
5. Skär bort den yttersta kanten på getosten. Tillsätt den, delad i bitar, 2 1/2 krm salt, 1 krm peppar och muskotnöt.
6. Låt såsen sjuda under omrörning tills osten har smält, 2–3 minuter.
7. Dela, kärna ur och finhacka äpplena. Smörj en ugnssäker form. Varva ostsås, kalkonsås, lasagneplattor och äpplen. Börja och sluta med ostsås.
8. Strö över osten och gratinera i ugn ca 25 minuter, tills lasagnen är mjuk och har fått fin färg.
9. Koka sparrisen mjuk i lättsaltat vatten. Skär i sneda bitar och lägg på lasagnen när ca 5 minuter återstår.
10. Servera med en fräsch sallad, gärna med lite strimlat äpple i.

Sa avde dai så de stö harlia te

HALLAND sägs vara Sveriges mest besökta landskap sommartid. Här finns Halmstad, Tylösand, Falkenberg och Varberg, med havet som främsta lockelse. Semesterfirarna kan njuta av långa sandstränder i söder och karg klippkust i norr. Halland betyder till och med landskapet innanför klipphällarna. Och regnar det finns Ullared eller flugfiske i åarna med lurande lax. Förr fick drängarna, enligt sägen, till och med inskrivet att de skulle slippa lax i alla fall ett par dagar i veckan.

Mer än hälften av Halland består av skogsmark, där älg, rådjur och vildsvin håller till. Resten är typisk jordbruksbygd där det framställs kött- och mjölkprodukter, spannmål och grönsaker. Hallands ljunghedar är unika och ger fin smak på honungen. Det finns även ek- och bokskogar, även om mycket har huggits ner till förmån för betesmark. Här finns över 3 000 öar, men bara fem är bebodda. Halland har tillhört Danmark under olika tidsperioder, vilket, tillsammans med råvaror från hav och kust, har satt spår i matkulturen.

Halland är också fläder och vilt växande bär. Smultron och enbär. Salt och tång. Havskräftor och insjöfisk. Sol och vind.

»Långkål, Hallands bästa
rätt. Lagad med kärlek,
grädde och smör. Stekes
långsamt så den blir mör.
Skinka, långkål – gudamål!«

Birgit Johannesson

LÅNGKÅL MED SKINKA

Långkålen görs av grönkål som man kokar, gärna i buljong eller skinkspad, och sedan småkokar krämig med grädde och sirap eller
socker. Serveras till skinka. Grönkål innehåller stora mängder C-vitamin, och den är också god i sallad.

För 8–10 personer
1 kg grönkål
5 dl skinkspad (eller 1 köttbuljongtärning
   + vatten)
2 dl vispgrädde
1 tsk stött fänkål
1 tsk socker
smör
salt, vitpeppar

Gör så här:
1. Skär bort den grova stammen från kål-
bladen. Koka dem mjuka i skinkspad eller
buljong ca 20 minuter.
2. Ta upp och grovhacka grönkålen. Spadet
kan sparas som grund till soppa. Fräs grön-

kålen i 2 msk smör 2–3 minuter. Häll på gräd-
den och låt småkoka utan lock ca 10 minuter.
3. Tillsätt fänkål, socker, 1–2 tsk salt och
1 krm peppar. Servera till rimmad kokt skinka.

I skafferiet

I Hallands skafferi finns både basföda som kött och mjölk och tillbehör som pepparrot och grönkål. Grönkålsknäcke är en kreativ variant från Börjes konditori i Harplinge. Andra godsaker är ost, som Kvibille cheddar, och glass av den färska grädden. För att inte tala om gourmetmaten från havet: havskräftor, lax och skaldjur.

LOKAL MJÖLK

Wapnö gårdsmejeri, som tillhör godset med samma namn, har 1 000 mjölkkor. Här tillverkas mjölk, grädde, yoghurt och gräddfil. Färskhet är ledordet, och morgonmjölken som rinner i ledning direkt ner till mejeriet kan finnas i butikerna i Halmstad redan några timmar senare.

ERIKSBERGS KYCKLINGAR

På Eriksbergs gård föds kycklingen upp på vegetabiliskt låg-energifoder utan fisk-mjöl eller antibiotika. Den får växa upp med naturligt dagsljus och bli dubbelt så gammal som vanlig butikskyckling, vilket betyder att den är extra stor! Slakteriet finns på gården.

SALT OCH TÅNG

Läget nära havet och myllan som skapats av tången gör att det finns nyskördade primörer från maj till och med november på Ugglarps grönt. Från växthusen kommer späda örter och kryddor. De passionerade odlarnas motto är att det du inte hittar här, det finns inte. Just nu planerar de för Matens hus, där man ska kunna öka sin kunskap om halländska livsmedel och träffa andra matintresserade.

Visste du att...

Gekås i Ullared är Sveriges största varuhus med en omsättning på 3,4 miljarder kronor.

PEPPARROTSLANDET

Fjärås i norra Halland är centrum för pepparrots-odlingen, som funnits där i generationer. Jorden består av gammal havsbotten, och det gillar pepparroten. I Marie-bergs gårdsbutik finns färsk pepparrot, goda färskostar från Delikatess-mejeriet i Fjärås (både med pepparrotssmak och andra), pepparrotsgelé och kardemummadricka. Tio sorters basilika och röda, gula och randiga tomater finns också.

GUDAGOTT

På Gudagott i Halmstad finns lokalproducerat nötkött och fläskkött, i form av korv, chark och alla styckningsdetaljer du kan tänka dig. Köttet kommer från Mostorps gård och Gudmunds-gården, som ligger strax utanför stan.

GRÖNKÅL

Harplingekål är kokt grönkål som tillverkas och fryses in under hösten för att ätas till jul. Speciellt i södra Halland äter man långkål till julskinkan. Företagets affärsidé uppstod när långkåls-traditionen vacklade för att den är för omständ-lig. Harplingekål är ett halvfabrikat som konsu-menterna kan tina och sedan laga efter eget tycke och smak.

Nya landskapsrätten

»Landskapsdjuret lax presenteras här i form av tunna rökta skivor, som kryddar den mjälla torskryggen, och de stora vackra romkornen som skänker lite extra sälta till grönkålstimbalen. Pepparrot från Fjärås och fläder i såsen fullbordar den halländska symfonin.«

LAXINLINDAD TORSKRYGG MED GRÖNKÅLSTIMBAL

Torsk, rökt lax och pepparrot blir en underbar smakkombination.
Här med typiska halländska ingredienser som grönkål och fläder.

För 4 personer
600 g torskrygg (Krav-
eller MSC-märkt)
4 skivor kallrökt lax,
ca 100 g
4 msk riven pepparrot
smör, olivolja
salt, peppar
Timbal
500 g fryst, tinad,
hackad grönkål
3 ägg
2 msk vispgrädde
1/2–1 krm kajennpeppar
100 g lax- eller forellrom
Flädersås
1 schalottenlök
100 g rotselleri
2 dl vitt vin
1 msk vit balsamvinäger
3 dl vispgrädde
3 msk konc fläder-
blomssaft

Gör så här:
1. **Timbal:** Sätt ugnen på 150°C. Häll av
vätskan från grönkålen och krama ur
den. Mixa den fint med stavmixer eller
i matberedare.
2. Vispa ihop ägg och grädde, blanda
i grönkålen. Tillsätt kajennpeppar, 2
krm salt och 1 krm peppar och fördela
smeten i 4 smorda ugnssäkra formar
(à ca 1 1/2 dl). Grädda i vattenbad ca
40 minuter, tills de har stannat.
3. **Sås:** Skala och hacka löken. Skala
och skär rotselleri i cm-stora bitar.
Fräs någon minut i 1 msk smör i en
kastrull. Tillsätt vin, vinäger, 1/2 tsk
salt och 1 krm peppar. Låt sjuda ca
20 minuter.
4. Mixa med stavmixer eller i matbere-
dare. Tillsätt grädde och flädersaft. Låt
sjuda några minuter.
5. Skär torsken i 4 bitar. Lägg dem i en
ugnssäker form. Krydda med salt och
peppar.

6. Lägg 1 skiva lax på varje torskbit.
Ställ in i ugnen (150°C) tills fisken är
färdig, ca 15 minuter.
7. Stjälp upp timbalerna på tallrikar och
toppa med lax- eller forellrom. Lägg
upp fisken bredvid och toppa den med
nyriven pepparrot. Servera med fläder-
såsen och gärna kokt potatis.

BENGT-GÖRAN »BENKE« JOHANSSON ÅLDER: 59 **FAMILJ:** Frun Eivor och barnen Christian,
34, och Ellinor, 38.
Benke, som han kallas av alla han känner, driver en lunchrestaurang i nybyggda området
Nissastrand i Halmstad. Han har ett enormt matintresse och reser mycket. När familjen har
bilat runt i Europa har de alltid sett till att äta det som orten är känd för. Benke har sysslat
med det mesta inom mat och har bland annat varit ICA-handlare i Halmstad. Att han dessutom
en gång varit svensk mästare i handboll och spelat i TV-pucken har gjort honom till lite av en
kändis i Halmstad. Rätten har han gått och tänkt på i många år, ända sedan han assisterade
en kille som tävlade i mat på Gastronord. När han nu såg inbjudan till tävlingen bjöd han hem tolv nära vänner som fick
prova den. Han bad dem att vara helt ärliga, och det hela slutade med att han skickade in receptet.

HALLÄNDSK DINKELSALLAD

Karin Höök, Billdal: För mig är Halland böljande åkrar med fylliga ax, färska räkor och nyfångad lax. Och den halländska flädern får vi inte glömma.

För 4 personer
1 kg blåmusslor
2 gula lökar
2 vitlöksklyftor
1 dl vitt vin
3 dl hel dinkel
8 dl vatten + 1 1/2 msk
   konc grönsaksfond
300 g skinn- och benfri
   laxfilé
500 g räkor med skal
1 fänkål
1 ask körsbärstomater
   (250 g)
150 g sockerärter
2 msk finskuren gräslök
1/2 dl färskpressad
   citronjuice
3 krm chilipeppar
salladsskott och dill-
   vippor till garnering
olja, kallpressad rapsolja
salt, peppar

Flädersås
1 äpple, syrligt
2 dl lätt crème fraiche
1–2 msk konc fläder-
   blomssaft
2 tsk äppelcidervinäger

Gör så här:
1. Börja med såsen. Dela, kärna ur och tärna äpplet. Blanda med crème fraiche, saft och vinäger. Ställ i kylen.
2. Tvätta och skrubba musslorna – släng de som inte stänger sig då du knackar på dem. Likaså trasiga musslor.
3. Skala och finhacka lök och vitlöksklyftor. Fräs i 2 msk olja i en kastrull 3–4 minuter. Lägg i musslorna och häll på vinet. Låt koka under lock 3–4 minuter, tills musslorna öppnat sig. Släng de som inte öppnat sig.
4. Plocka upp musslorna och lägg ner dinkeln i musselspadet. Tillsätt vatten och fond och koka enligt anvisning på dinkelförpackningen. Låt svalna.
5. Skär laxen i 2–3 cm stora tärningar. Skala räkorna. Ställ åt sidan.
6. Ansa och skär fänkålen mycket tunt, hyvla den gärna på en mandolin.
7. Skär tomaterna i hälften. Skär sockerärterna i hälften.
8. Blanda den kokta dinkeln med fänkål, tomater, sockerärter, gräslök samt citronjuice och 3/4 dl kallpressad rapsolja. Krydda med 1/2 tsk salt och 1 krm peppar.
9. Stek laxen runt om i en stekpanna i 1 msk olja. Krydda med chilipeppar, 1/2 tsk salt och 1 krm peppar.
10. Lägg upp dinkelsalladen på ett fat eller i en skål och toppa med lax, räkor och musslor. Servera med flädersåsen. Garnera med salladsskott och dillvippor.

TIPS! FLÄDERSIRAP
Koka ner 2 dl konc fläder-
blomssaft så att 3/4 dl
återstår. Tillsätt gärna
1 msk hackad
citronmeliss.

HALLÄNDSK FLÄDERMOUSSE MED HAVREFLARN

Annika Arnesson, Falkenberg: Närproducerade ingredienser med den självklara Hallands fläder blir en läcker liten »bakelse«.

**Ger 8–10 bakelser,
(ca 35 flarn)**
2 dl havregryn
125 g smör
1/2 dl vispgrädde
1/2 dl ljus sirap
1 1/2 dl socker
2 dl vetemjöl
Flädermousse
4 gelatinblad
1 dl konc fläderbloms-
   saft
2 cl Hallands fläder
   (snaps)
3 dl vispgrädde
500 g keso
Jordgubbssallad
1 liter jordgubbar
3 msk socker
rivet skal och färskpres-
   sad juice från 1 lime
florsocker och citron-
   meliss till garnering

Gör så här:
1. **Havreflarn:** Sätt ugnen på 175°C. Smält smöret. Rör i grädde och sirap. Blanda med socker, mjöl och havregryn.
2. Klicka ut smeten med hjälp av 2 skedar glest på plåtar med bakplåtspapper. Grädda flarnen i omgångar i nedre delen av ugnen ca 10 minuter. Låt dem kallna helt.
3. **Flädermousse:** Lägg gelatinbladen i lite kallt vatten 5 minuter. Värm 1/2 dl av saften i en kastrull. Ta från värmen.
4. Ta upp gelatinbladen ur vattnet och låt smälta i den varma saften under omrörning. Blanda med resten av saften och Hallands fläder.
5. Vispa grädden hårt. Blanda ner keson. Ta lite av gräddblandningen och rör ner i saften. Blanda sedan ihop allt. Ställ in moussen i kylen ca 4 timmar.
6. **Jordgubbssallad:** Rensa och skär jordgubbarna i bitar. Blanda med socker, limeskal och juice. Låt marinera ca 30 minuter.
7. Lägg en klick mousse mellan två flarn. Garnera med jordgubbar och citronmeliss. Ringla gärna över lite flädersirap och sikta över florsocker.

Jeit nå, o kåm inte som seist o seg att däu inte fick någe

GOTLAND Campingsemester, partykvällar i Visby eller cykling längs vallmokantade rågåkrar. 800 000 besökare per år gör Gotland till ett välbesökt landskap, och alla har sina egna bilder av ön. Raukar och långa stränder behöver man knappt nämna.

Den gigantiska kalkstensklippan, utslängd i havet 15 mil utanför Sveriges kust, blev svensk vid freden i Brömsebro 1645. Öns isolerade läge har gjort att den utpräglade dialekten och den ålderdomliga arkitekturen finns kvar. Klimatet är milt och växtligheten artrik på grund av alla soltimmar och värmen från havet. Den karga kalkstensgrunden ger växter som inte finns någon annanstans; kajp och ramslök är typiskt gotländskt och förädlas till allt från soppa till pesto. Redan på medeltiden handlade man med färdiga matvaror som ost, smör och bröd på Gotland. Lammsmäckor med lök och senapskorn, saffranspannkaka och gotlandslimpa är klassiker, alla med anor från handeln med dyrbara kryddor.

Rökt och saltad fisk har varit viktigt, särskilt flundran. Men i gamla tider även sälkött. Idag är Gotland en turistö som kan erbjuda några av Sveriges finaste restauranger. Bönder och odlare är snabba att haka på trender eller till och med skapa dem.

»För mig är Gotland raukar, medeltidsveckan, Ingmar Bergman och saffranspannkaka med salmbärssylt.«
Birgitta Brodin

SAFFRANSPANNKAKA

Saffranspannkakan, som har en säregen kryddning för att vara svensk, kom till på grund av öns handelsläge. Exotiska varor som mandel och saffran fick gotlänningarna tidigt stifta bekantskap med, och tillsammans med överbliven risgrynsgröt skapades den gula delikatessen. Salmbären som serveras till i form av sylt är också öspecifika.

För 6–8 personer

1 liter färdig
  risgrynsgröt
1 paket saffran
  (1/2 g)
2 msk socker

1 dl sötmandel
3 ägg
1 1/2 dl vispgrädde
1 tsk vaniljsocker
smör till formen

Gör så här:
1. Sätt ugnen på 175°C. Stöt saffranen i en mortel med sockret. Skålla mandeln i kokande vatten. Skala och hacka den fint.
2. Blanda risgrynsgröt, ägg, grädde, vaniljsocker, mandel och saffran. Blanda väl. Häll i en smord ugnssäker form, ca 20x30 cm.
3. Grädda i ugnen ca 30 minuter. Låt svalna. Servera med vispad grädde och salmbärs- eller björnbärssylt.

I skafferiet

Det pågår en kulinarisk revolution på Gotland med sparris, tryffel och primörer. Det är innovativt, klimatsmart och närproducerat. Klimatet och de fina sandjordarna passar för odling av allt från morötter och dinkel till grön och vit sparris. Kajp och ramslök växer vilt, och lammen får smak från det örtrika betet. Från Rute stenugnsbageri kommer surdegsbröd. Och tryffeln ger det där lilla extra.

OST & SAFFRAN

På Stafva gård finns ett litet gårdsmejeri som gör smör, färskost, blåmögelost, tryffelost och kittost. Men där finns även köttdjur och senaste årets nyhet: saffran. Här ligger norra Europas enda saffransodling med över 2 000 blålila krokusblommor.

FÅROST

På Häftings gårds-mejeri kan man få se hur mjölkningen av de ostfriesiska mjölkfåren går till, och här finns även lammskinn och fårost av olika sorter i gårdsbutiken. De gör bland annat en variant på roquefort som kallas raukfår.

LAMM

Gutefåren på Gotland är en ålderdom-lig typ av svenska lantrasfår där såväl baggar som tackor har två välutvecklade horn. Sex lammproducenter på ön har gått samman och bildat Gourmetlamm Gotland, som totalt producerar ca 2 500 lamm om året, mest till Stockholm. Meny Gotland är ett annat företag som bland annat gör ett slags julskinka av lamm, lammlinka; urbenat lammlår som rimmas och äts som julskinka. På Got-land heter det lamm, oavsett om djuret är gammalt eller ungt!

TRYFFEL

Gotlands milda höstar och kalkrika jord gör att det går att odla tryffel. 8 000 kronor kilot kan man få betala för delikatessen, som i blindtester har visat sig vara precis lika god som den franska. Tryffel-safari har blivit en populär attraktion om hösten, bland annat på Smakrike, som har krog, boende och butik med gotländska god-saker som choklad, bröd och marmelad. Tryffel-safari finns även på Risungs gård i Rute och Fabriken Furillen.

Visste du att ...

Gotlandsdricka är en jäst dryck som påminner om färsköl. Den innehåller malt, humle, jäst, vatten och enris, är gulbrun i färgen och något grumlig. Varje gotländsk gård med självaktning har ett eget recept på »dricke«.

VINGÅRD

På Gute vingård i Hablingbo finns inte bara vin utan även ett litet upplevelsecentrum. De har en liten vinäger-fabrik, och i gårdsbutiken säljs delikatesser som deras egen gotlands-dressing med senap och vitlök. De har vis-ningar av vineriet och bränneriet, och dryck-erna varierar från ett dessertvin av salmbär till morotsbrännvin och sparrissnaps.

CHILISAFFRANSPANNKAKA MED VÅRIG PRIMÖRSALLAD

Den traditionella landskapsdesserten blir en spännande förrätt med getost, och till det en vårig räk- och sparrissallad.

För 4 personer
250 g färdig risgrynsgröt
rivet skal av 1/2 citron
1/2 paket saffran (1/4 g)
1 ägg
1 dl vispgrädde
1/2 tsk sambal oelek
1/2 msk vetemjöl
100 g getost
   (av chèvretyp)
smör, salt, peppar

Sallad
1 bunt grön sparris
   (ca 250 g)
1 kg räkor med skal,
   tinade
ca 10 blad ramslök
   (eller 2 salladslökar)
3 vitlöksklyftor
1/2–1 chilifrukt (tex
   spansk peppar)
1 dl mild olivolja
1 msk hackad timjan
rivet skal av 1 citron +
   1 msk färskpressad
   juice

Gör så här:
1. Sätt ugnen på 200°C. Blanda gröt, citronskal, saffran, ägg, grädde, sambal oelek och mjöl.
2. Häll blandningen i en smord ugnssäker form, ca 20x25 cm. Smula över getosten.
3. Grädda mitt i ugnen 25–30 minuter. Låt svalna och ställ kallt några timmar, gärna över natten.
4. **Sallad:** Skär ev bort den nedre torra delen på sparrisen. Skär i 2–3 cm stora bitar. Koka den mjuk i lättsaltat vatten.
5. Skala räkorna. Skär ramslöken i strimlor. Skala och skär vitlöken i tunna skivor. Skär chilifrukten i tunna skivor.
6. Fräs vitlök och chili i oljan på hög värme, passa noga så att vitlöken inte bränns.
7. Ta av från värmen och tillsätt räkor, sparris, ramslök, timjan och citronskal + juice. Blanda runt och krydda med salt och peppar.
Servera saffranspannkakan ljummen tillsammans med salladen. Garnera gärna med salladsskott.

HANNA JANSSON ÅLDER: 16 **FAMILJ:** Mamma, pappa och 5 syskon. Hanna bor i Stockholm men har bott på Gotland i tio år. Hon går naturvetenskaplig linje på gymnasiet, har ett stort matintresse och lagar ibland middag hemma. Ofta blir det något nyttigt med fisk, eller vegetariskt. Om det ska bli kalas är det Hanna som bakar tårtorna. Hon valde att laga gotländskt för det finns så mycket karaktäristiska rätter och smaker där. Sambal oelek, citrus, saffran och räkor bestämde hon sig för, och sedan var det enkelt.

»Den solgula saffranspannkakan överraskar stort då den serveras som en förrätt. Chili, saffran och getost tillsammans med vitlöksstekta räkor och gotländsk sparris bjuder på underbara smaker som passar perfekt tillsammans.«

LAMMFÄRSJÄRPAR MED OSTCRÈME

Berit Lundell, Göteborg: De läckra biffarna får ett extra lyft med kajplök och den lite söta ostcrèmen. Primörsparris till är försommarlyx.

För 4 personer

500 g lammfärs
1/2 knippe kajplök
  (eller salladslök)
1 msk dinkelmjöl
1 ägg
2 tsk hackad persilja
1 tsk repad, hackad
  citrontimjan
1 tsk hackad mynta
3/4 dl kolsyrat vatten
3/4 dl matyoghurt (10 %)
smör, olivolja

grovmalen svartpeppar
salt

Potatis
800 g färskpotatis
1 dl kärnfria kalamata-
  oliver
1/2 dl hackad persilja

Ostcrème
150 g getost (av
  chèvretyp)
2 dl matyoghurt (10 %)
1 1/2 msk honung

Gör så här:

1. Sätt ugnen på 125°C. Skala och hacka kajplöken. Blanda den med alla ingredienser till färssmeten samt 1 tsk salt och 1/2 krm peppar. Forma järpar och stek i smör några minuter. Lägg över i en ugnssäker form. Ställ in i ugnen och stek färdigt ca 10 minuter.

2. Potatis: Koka potatisen mjuk i lättsaltat vatten. Skär oliverna i hälften. Häll av potatisen och blanda med oliver, persilja och 1 msk olja. Salta och peppra.

3. Ostcrème: Gaffelmosa getosten. Blanda med yoghurt och honung.

Servera lammfärsjärparna med ostcrèmen och potatisen. Grillad sparris och salmbärsgelé är fina tillbehör.

SALMBÄRSSORBET I DINKELKORG

Ida Nilsson, Visby: Modern salmbärssmak med gammaldags dinkelflarn.
Nytt och gammalt i skön förening.

För 4 personer
250 g salmbär
   (eller björnbär)
1 dl vatten
1 1/2 dl socker
1 1/2 msk glykos
   eller honung
1 gelatinblad
2 msk färskpressad
   citronjuice
mynta till garnering

Gör så här:
1. Koka upp vatten och socker så att sockret löses
upp. Tillsätt glykos eller honung och koka upp igen.
Låt svalna.
2. Mixa bären med stavmixer eller i matberedare. Sila
bort kärnorna genom en nätsil.
3. Lägg gelatinbladet i kallt vatten 5 minuter. Värm 1 dl
bärpuré i en kastrull. Ta från värmen.
4. Lyft upp gelatinbladet, lägg ner det i purén och rör
om så att det smälter. Blanda med resten av purén.
Låt svalna men inte kallna och stelna.
5. Blanda bärpurén med sockerlagen och citronjuice.
Häll smeten i en glassmaskin och kör ca 45 minuter.
Ställ samtidigt in en bunke i frysen.
6. Lägg smeten i den kalla bunken och ställ i frysen
ca 4 timmar. Skopa upp sorbeten i 4 dinkelkorgar.
Garnera med mynta.

TIPS! DINKELKORGAR
Ca 15 stycken. Sätt ugnen på 200°C. Smält 75 g smör
i en kastrull. Tillsätt 1 dl socker, 1 dl dinkelgryn, 1 dl
vetemjöl, 1/2 tsk bakpulver, 1 tsk vaniljsocker, 1/2 dl mjölk
och 1/2 dl honung under tiden kastrullen står på värmen.
Ta av från värmen och blanda väl. Klicka ut msk-stora
klickar av smeten på plåtar med bakplåtspapper, ca
6 stycken per plåt. Lägg inte för tätt eftersom smeten flyter
ut under gräddning. Grädda i mitten av ugnen 5–7 minuter,
tills de blir gyllenbruna. Låt flarnen svalna något. Lägg dem
att stelna på upp- och nedvända koppar.

Kan du giss hur mång kroppkak ja har i min pås, så ska du få all åt

ÖLAND, som är Sveriges minsta landskap, kallas ibland solens och vindarnas ö. Hela ön är en kalkstensklippa, som sedan 1972 är förbunden med fastlandet via Ölandsbron. En fjärdedel av Ölands yta, den södra delen, består av det stora Alvaret. Det är trädlös hedmark där berggrunden är täckt endast av ett tunt jordlager, som betande får och getter har hindrat från att växa igen. Mycket sol, milda höstar och kalkrik jord har gett bra förutsättningar för att odla frukt och bär, grönsaker, kryddväxter, potatis och rotfrukter. Bruna bönor började odlas på 1800-talet och har sedan dess varit kännetecken för Öland.

Förutom jordbruket är turismen Ölands stora inkomstkälla, och det är naturen och de långgrunda stränderna som lockar. Kvarnar, ruiner, kyrkor och fornlämningar, stenmurar och konserter på Borgholms slott likaså. Längst i söder finns fyren Långe Jan och Ottenby fågelstation, som är känd för sitt stora antal passerande flyttfåglar. Den skygga näktergalen har fått bli landskapsfågel. Matkulturen blomstrar med gårdsbutiker, restauranger, matproducenter och Ölands skördefest som kulmen på odlingssäsongen.

Långe Jan &
Långe Erik

20 stycken
kroppkakor fick Markus
Johansson i sig 2003,
rekordet verkar stå sig.

Handrullade kroppkakor finns
hos Ninnis kroppkaksbod i Källa,
Arontorps kroppkakor och mat och
Evas kroppkakor i Salomonstorp.

Södra Ölands odlingslandskap
är upptaget på Unescos lista
över världsarv; ett kulturarv
med höga naturvärden.

»Öland har sina
väderkvarnar,
sitt alvar och
sina kroppkakor.«
Ann-Marie Svensson

ÖLÄNDSKA KROPPKAKOR

Öländska kroppkakor görs av råriven potatis, medan småländska tillagas med kokt, mosad potatis. Rätten har en lång historia, för redan 1775 nämns den i skrift. Till fyllning i kroppkakorna tog man vad man hade; sill, torsk eller ål, men allra helst fläsk. Smeknamnet Ölands gråa guld visar hur mycket man tycker om sin landskapsrätt.

För 4 personer
1 kg rå potatis
1 liten gul lök
150 g rimmat sidfläsk
1/2 msk stött kryddpeppar
300 g kokt potatis
1 1/2 dl vetemjöl
salt

Gör så här:
1. Skala och finhacka löken. Skär fläsket i små tärningar. Blanda lök och fläsk med kryddpeppar.
2. Skala och riv den råa potatisen fint. Låt rinna av ordentligt i en sil eller i ett durkslag. Lägg i en bunke. Skala och pressa i den kokta potatisen.
3. Blanda i mjölet och 1 tsk salt. Arbeta snabbt ihop till en deg. Koka upp lättsaltat vatten i en stor kastrull. Forma degen till en tjock rulle.

4. Dela rullen i 12 delar. Gör en liten urgröpning i mitten och fyll med ca 1 msk fläsk- och lökblandning. Nyp ihop och forma till en kroppkaka.
5. Lägg hälften av kroppkakorna i det kokande vattnet. Låt dem småkoka utan lock 45–60 minuter. Ta upp med hålslev och tillaga resten. Servera med skirat smör och rårörda lingon.
Tips! Blöt händerna när du fyller och formar kroppkakorna så kladdar de mindre.

I skafferiet

På Ölands skördefest på höstkanten visas landskapets rika skafferi upp. Det är pumpor, knäckebröd, grönsaker, lamm, ost, kroppkakor, fisk, potatis, lök, majs, honung, bruna bönor. Ja, det är nästan lättare att räkna upp vad som inte finns.

GETOSTAR

Från Hagelstad gårdsmejeri i Löttorp kommer ostar som vit caprin, oljemarinerad getost och Ölands salut, alla gjorda på getmjölk från egna getter. Men de har också börjat göra ost på mjölk från byns kor. Rökt killinglår och bocksalami är andra gårdsdelikatesser.

SKÖRDEFEST

Sveriges största skördefest pågår på Öland 30 september till 3 oktober 2010. Det är kronan på verket för odlaråret med nyskördade och förädlade läckerheter i långa banor. 900 aktiviteter över hela ön sägs festen bjuda på.

PUMPA

I den årliga pumpatävlingen på Solberga gård vann senast en pumpa på 626 kilo! Odlaren Gunnar Kvarnbäcks matfavoriter är hokkaido, butternut och muscat, som han använder när han lagar pumpmunk (alltså raggmunk men med pumpa i stället för potatis). I gårdsbutiken finns pesto från gårdens vitlök och basilika, lammskinn, ekologiskt odlade grönsaker och lammkorv.

BRUNA BÖNCHIPS

Om inte Ulf och Maryanne Wahlqvist hade misslyckats med sina falafelbollar för sju år sedan hade vi inte kunnat äta bruna bönchips idag. För den misslyckade middagen utvecklades i stället till bönchipsen som de nu tillverkar av öländska bruna bönor. De knapriga chipsen har högt fiberinnehåll, bra med proteiner och låg fetthalt.

STRUTSAR PÅ ÖLAND

På Marsjö strutsgård görs en ostkaka på endast ett ägg. Ett strutsägg motsvarar över 30 hönsägg.

Visste du att...

Odling av bruna bönor har positiv effekt på miljön, på grund av att det binder kväve.

LAMM OCH VIN

Wannborga bedriver ekologisk produktion med får som betar alvarsmarker och odling av vindruvor. Där finns vinkällare för tillverkning av vin och ett gårdsbränneri för framställning av destillat av egna råvaror. I restaurangen möter gårdens lammpaté och -korv det egna vinet och kanske en »grappa« från bränneriet.

BAKAD PUMPA MED PISTASCHVINÄGRETT, FÅRFIOL OCH GETOST

Välj en god pumpa som inte är så stor, t ex butternut eller hokkaido. Det mjälla pumpaköttet passar bra med nötvinägrett, lätt syrlig getost och smakrik fårfiol.

För 4–6 personer
ca 1 kg pumpa (butter-
nut eller hokkaido)
3 vitlöksklyftor
ca 400 g fårfiol, t ex från
Wannborga
ca 150 g getost, t ex från
Hagelstads gårdsmejeri
olivolja
salt, peppar

Pistaschvinägrett
1 påse pistaschnötter,
naturella (60 g)
1 schalottenlök
1/2 dl hackad blad-
persilja + några blad
till garnering
2 msk äppelcidervinäger

Gör så här:
1. Sätt ugnen på 225°C.
2. Dela och gröp ur pumpan. Skala och skär i 2–3 cm tjocka klyftor.
3. Skala och halvera vitlöken. Gnid in pumpan med vitlöken. Lägg klyftorna på en bakpappersklädd plåt.
4. Ringla över 2–3 msk olja. Krydda med 2 krm salt och 1/2 krm peppar. Ställ in i ugnen ca 15 minuter, tills pumpan är mjuk, vänd efter halva tiden.
5. **Pistaschvinägrett:** Rosta pistaschnötterna i en torr och het stekpanna. Hacka dem grovt. Skala och finhacka löken. Blanda lök, nötter, hackad persilja, vinäger, 1/2 dl olivolja, 1 krm salt och 1 krm peppar.
6. Lägg pumpaklyftorna på tallrikar och fördela pistaschvinägretten över. Garnera med några persiljeblad. Servera med skivor av fårfiol och smulad ost.

CAMILLA JILDERUP FAMILJ: Singel.
Camilla är uppvuxen på Öland och arbetar som kundtjänstmed-arbetare. Hon har varit ifrån Öland i flera omgångar, och bland annat arbetat i Stockholm och London, men alltid kommit tillbaka. Hjärtat finns på Öland. Där tycker hon om att njuta av en god middag eller ett gott bakverk, men även ta en löprunda över Alvaret. Inspiration till pumparätten fanns i en amerikansk romantisk komedi. En riktigt förutsägbar film, men med en scen där den kvinnliga huvudpersonen lagade en god pumparätt. Flera år senare med småländska släktingar på besök lagades pumparätten fritt ur minnet, och det blev en succé!

»På Öland arrangeras varje år en skördefest där pumpan är själva symbolen.
Här presenteras den på ett modernt sätt med många lokala ingredienser.
Fantastiska smaker tillsammans i en både vacker och 'tuff' förrätt.«

FLÄDERMARINERAD KYCKLING MED PUMPACRÈME

Niclas Ekberg, Degerhamn: En lite annorlunda smaksättning då fläder ofta förknippas med desserter. Det blir en väldigt lyckad kombination med citron och timjan. Pumpacrèmen kan förberedas en dag i förväg.

För 4 personer
600 g majskycklingfilé
2–4 klasar fläder-
  blommor eller 4 msk
  konc fläderblomssaft
skalet av 1 citron +
  2 msk färskpressad
  juice
4–6 kvistar timjan
smör, olivolja
salt, peppar
Pumpacrème
ca 750 g pumpa
  (t ex butternut)
1 persiljerot (eller
  palsternacka)
2 vitlöksklyftor
2 kvistar timjan
1/2 dl vispgrädde
Parmesanpotatis
1 kg färskpotatis
  (välskrubbad)
2 msk ströbröd
1 dl riven parmesanost

Gör så här:

1. Blanda fläderblommor/-saft med citronskal + juice, timjankvistar och 1/2 dl olja.
2. Lägg kycklingen i dubbla plastpåsar. Häll på marinaden och knyt ihop. Låt marinera minst 2 timmar, gärna över natten i kylen.
3. **Pumpacrème:** Sätt ugnen på 200°C. Dela, gröp ur och skala pumpan. Skär i grova bitar. Skala och skär persiljeroten i grova bitar. Skala vitlöken och blanda med timjan och 2 msk olja. Blanda detta med pumpa och persiljerot.
4. Lägg på en bakpappersklädd plåt. Rosta i ugnen 25–30 minuter, tills grönsakerna är mjuka. Plocka bort timjankvistarna.
5. Mixa grönsakerna i matberedare eller med stavmixer tillsammans med grädde och 2 msk smör. Smaka av med 1 tsk salt och 2 krm peppar. Hit kan förberedas.
6. **Parmesanpotatis:** Blanda potatisen med 2 msk olja och 2 msk smält smör. Lägg i en ugnssäker form och ställ in i ugnen 25–35 minuter (200°C), tills de nästan är färdiga. Hit kan förberedas.
7. **Kyckling:** Sätt ugnen på 150°C. Ta upp kycklingen ur marinaden och bryn den ca 2 minuter på varje sida i 1 msk smör i en stekpanna. Krydda med 1 tsk salt och 2 krm peppar. Lägg i en ugnssäker form och ställ in i ugnen 25–30 minuter.
8. Höj ugnsvärmen till 225°C.
9. Blanda ströbröd och parmesan och strö över potatisen. Ställ in i ugnen igen ca 10 minuter, tills potatisen har fått fin färg.
10. Skär kycklingen i skivor och lägg dem i en ugnssäker form. Värm 2–3 minuter i ugnen tillsammans med potatisen. Värm pumpapurén och servera till kycklingen och potatisen. Kokta haricots verts passar bra till.

ÖLÄNDSK CHILI

Niclas Ekberg, Degerhamn: Bruna bönor är en stolthet för Öland, och här används de i en riktig chilihöjdare. Fina, balanserade, lätt rökiga smaker. Chilin görs med fördel dagen före servering.

För 6 personer

2 1/2 dl torkade bruna bönor	2 tsk spiskummin
2 gula lökar	2 kvistar färsk timjan
1 lagerblad	1 burk krossade tomater (400 g)
1 1/2 kg högrev	2 flaskor porter (à 33 cl)
7 vitlöksklyftor	1 msk konc kalvfond
1 röd + 1 grön chilifrukt (t ex spansk peppar)	1 msk socker
1 paket bacon (140 g)	1–3 krm rökt tabasco (pepper sauce chipotle)
2 chipotle-chili (torkad, rökt chili)	vatten, olivolja
1 msk chilipulver	salt, peppar

Gör så här:

1. Blötlägg bönorna i rikligt med vatten över natten.
2. Skala och hacka löken. Häll av blötläggningsvattnet. Lägg bönorna i en kastrull tillsammans med hälften av löken, 1 tsk salt och lagerblad. Tillsätt 1 1/2 liter vatten och koka upp.
3. Skumma av och låt därefter sjuda under lock ca 30 minuter. Häll av bönorna.
4. Putsa högreven och skär i 3–4 cm stora bitar. Låt stå framme.
5. Skala och finhacka vitlöken. Dela, kärna ur och hacka den röda och den gröna chilifrukten.
6. Skär baconet i tunna strimlor. Fräs dem i en stor gryta/kastrull några minuter.
7. Tillsätt resten av den hackade löken och fräs ytterligare några minuter. Låt vitlöken fräsa med mot slutet. Tillsätt hackad chili, chipotle, chilipulver, spiskummin och timjan och fräs ytterligare några minuter.
8. Tillsätt kött, krossade tomater, porter och fond. Blanda runt och låt chilin sjuda på svag värme under lock 2–3 timmar, tills köttet är mört. Späd med vatten om chilin kokar torr.
9. Tillsätt bönorna och löken, låt koka ytterligare ca 20 minuter. Ta upp chipotlen och släng den. Krydda med socker, tabasco, 2 tsk salt och 1 krm peppar.

Servera gärna chilin med bröd och crème fraiche.

Nu ska hä bli kalas!

SMÅLAND är stenarnas och skogens landskap. Stenarna blev kvar när inlandsisen drog sig tillbaka för 10 000 år sedan, och beskrivningen av den småländske bonden som både stenrik och utfattig säger vad det handlar om.

Skogen och de många sjöarna var viktiga förutsättningar för glasbrukens framväxt på 1700-talet. Veden höll ugnarna varma och sanden från sjöbottnarna behövdes till glastill-verkningen. Glashyttorna var arbetsplats för bygdens folk, men också en samlingsplats. Dit kom nyhetsförmedlarna, luffarna, för att berätta sina historier. Det var mat och dryck; salt sill, isterband och potatis. Hyttsill serveras än idag.

De tydligaste bilderna har Astrid Lindgren gett oss. När Emil bjuder fattighjonen på »Det stora tabberaset i Katthult« får man inblick i matkulturen när han dukar upp korv, skinka, hackekorv, sylta, palt, leverpastej, grynkorv, sillsallat och förstås ostkaka med jordgubbssylt. Det fattiga Småland till trots snålas det aldrig när det vankas kalas.

Ortnamnen Duvemåla och Gnosjö ger oss bilder av ett strävsamt släkte, och på senare tid står orten Älmhult för nytänkande genom världskända Ikea.

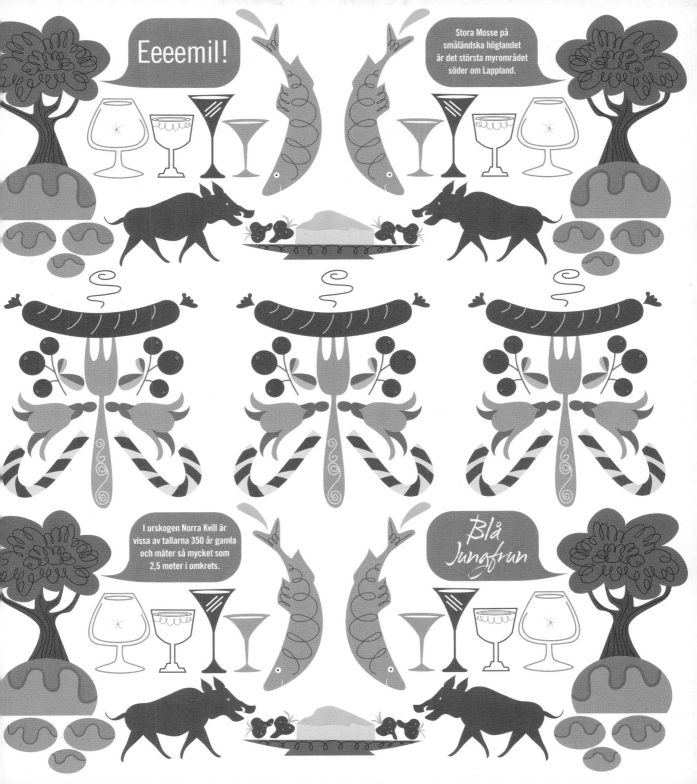

"Vardag, semester, jeans eller siden. Småländsk ostkaka passar lika bra hela tiden"
Ebbe Åsenhed

SMÅLÄNDSK OSTKAKA

Den gyllenbruna småländska ostkakan är gjord på mjölk, ägg och grädde, kryddad med mandel och bittermandel. Den gräddas i ugn och serveras med sylt och grädde. Den anses vara mer än 500 år gammal och står för både trend och tradition; sedan några år tillbaka görs kakan även i singelportion för att tillgodose efterfrågan från den moderna människan.

För 8–10 personer
5 liter mjölk (3 %)
1 1/2 dl vetemjöl
1 msk ostlöpe
  (finns på
  apoteket)
50 g sötmandel
4 bittermandlar
2 1/2 dl kaffe-
  grädde
2 dl socker
3 ägg

Gör så här:
1. Värm mjölken till 35°C. Vispa i mjölet och tillsätt ostlöpen. Rör om och låt stå ca 30 minuter. Rör om igen så att vasslen separerar. Låt stå ytterligare 30 minuter.
2. Fukta en tunn kökshandduk/silduk och lägg den i ett durkslag. Ställ durkslaget i en stor skål. Häll massan i durkslaget och låt rinna av över natten i kylskåp.
3. Sätt ugnen på 175°C. Skålla mandeln i kokande vatten, skala och hacka den fint.

4. Häll den avrunna ostmassan i en bunke. Vispa ner kaffegrädde, socker, ägg och mandel i ostmassan.
5. Smörj en form (ca 2 1/2 liter) och häll i smeten. Grädda, gärna i vattenbad, 1 1/2–2 timmar.
6. Låt kallna, häll av ev vätska. Servera ostkakan ljummen med vispad grädde och jordgubbssylt.

I skafferiet

Stekt salt sill, knaperstekt fläsk, isterband, knäckebröd och ostkaka är traditionens mat. Men Småland är också hantverksmässigt framställd pastrami från gårdar med utegrisar som får böka i jorden, ett återupptäckande av naturens resurser som kan resultera i allt från syltade granskott och kantareller till björksavsdricka. Skafferiet blir komplett med krösamos på lingon från de stora skogarna, kalvdans, spelt, kokta kräftor och korvkaka.

BAGARBOD

Falla spelt och bagarbod bevarar den gamla spannmålssorten spelt och bakar allt från markens fruktbröd till kardemummabullar och biscotti. Allt görs med egenodlad ekologisk spelt. I deras butik och kafé finns även hemgjord ostkaka som görs på Kravgodkänd mjölk från egna kor.

GRÄNNA KNÄCKE

Gränna knäcke startade trenden med lite lyxigare, smaksatt knäckebröd. De har förädlat produkten till att innefatta bland annat fruktknäcke, GI-knäcke, apelsinskorpor och nyttisar (knäcke doppat i 70-procentig choklad, garnerat med sesamfrön!).

SMÅLÄNDSK OSTKAKA

I Vimmerby ligger inte bara Åbro bryggeri och Astrid Lindgrens värld. Där ligger också Frödinge mejeri, som gör ostkakan med mer än 500 år på nacken. På Café Lovisen längre söderut kan man äta ostkakebakelser. En innovation med tradition i botten, som understryks av miljön i den varsamt renoverade handelsboden.

Visste du att ...

Spelt är en urtidsväxt som vårt vanliga vete kommer ifrån. Dinkel är ett annat namn för samma sak.

GÅRD PÅ VISINGSÖ

På Visingsö ligger Bengtsgården, en familjedriven gård som har köttdjur men även produktion av kallpressad Kravmärkt rapsolja, fiskrökeri med varmrökt sik, röding och lax samt odling av spelt och lin. Många av råvarorna förädlas i restaurangen intill.

POLKAGRISEN

När vi fick näringsfrihet i Sverige, och man inte behövde vara ansluten till ett skrå, började kvinnorna i Gränna koka polkagrisar i sina hemmakök. Urpolkagrisen skapades 1859 av nyblivna änkan Amalia Eriksson, som behövde hitta ny försörjning. Bilden av hur Kajsa Kavat hjälper gamla mormor med polkagrisförsäljningen på torget till jul ger en smak av mint i munnen.

RUDENSTAMS

Fruktodlingen Rudenstams ligger vackert på sluttningarna ner mot Vättern. De odlar äpplen, päron, plommon, bigarråer och hallon. I Rudu by ligger deras butik där de säljer varor som kommer från närområdet. Förutom deras egna grönsaker och drycker finns där ägg från Granfelts lantbruk, senap från Visingsö, rökt nötkött från Säby gård på Kaxholmen och en massa annat.

HONUNGSGLASERAD VILDSVINSSTEK

Karrén blir saftig och god i lergrytans skonsamma tillagning.
Vildsvinet ger lite mer karaktär, men tamgris fungerar också.

För 4–6 personer
1 kg karré i bit av vildsvin
eller tamgris
15 enbär
2 msk socker
2 tsk salt
2 dl rött vin
1 + 1 dl lingon
3 kvistar rosmarin
1/2 dl flytande honung
smör
salt, peppar

Gör så här:
1. Låt lergrytan ligga i blöt minst 15 minuter.
2. Stöt enbären i en mortel. Blanda med socker och salt. Gnid in i köttet med det.
3. Torka av lergrytan och lägg i köttet. Tillsätt vin, 1 dl lingon och rosmarin. Ringla honung på köttet. Lägg på locket.
4. Ställ in i kall ugn. Sätt ugnen på 150°C. Tillaga ca 2 1/2 timme, tills köttet är mört.
5. Ta upp köttet. Lyft upp rosmarinkvistarna och kasta dem. Häll skyn i en kastrull. Låt steken vila under lock ca 15 minuter.
6. Koka ihop skyn till en simmig konsistens. Sila av lingonen. Vispa i 2 msk smör och rör ner 1 dl nya lingon i såsen precis före servering.
7. Skär köttet i skivor och häll över såsen. Servera gärna med ett potatis- och palsternacksmos med persilja i. Kokta haricots verts frästa med lite hackad schalottenlök i smör passar också bra till.

LENA TORP ÅLDER: 51 **FAMILJ:** Maken Mikkel, barnen Ida, 27, Frida, 26, och Linnéa, 19.
Lena kommer från Danmark men har varit smålänning sedan 1978. Hon bor på landet utanför Nässjö, i ett torp från 20-talet. Hon är medialärare på gymnasiet och har byggnadsvård som hobby. Lenas rätt med vildsvin kom till när hon hade en stek i kylskåpet och skulle få besök av döttrarna. Enbären plockade hon i skogen. Rosmarin och persilja kom från de egna odlingarna – en hel rad med persilja gick åt till moset. »Det här receptet måste du skicka in!« utropade döttrarna under middagen.

Nya landskapsrätten

»Vildsvinet frodas i de småländska skogarna och har blivit en given landskapsingrediens. Den lätt vilda smaken i kombination med enbär och rosmarin, vin och honung blir utsökt — speciellt då köttet tillagas i lergryta och får lång tid på sig att utveckla en underbart saftig mörhet.«

POLKAGRISDRÖM

Lise-Lott Gustafsson Moschiri, Västervik:
Polkagrisen står för det söta, limen för det syrliga, chokladen för det krämiga och grädden för det fluffiga ...

För 4 personer
2 dl polkagrisar
2 dl vispgrädde
100 g vit choklad
4 digestivekex
2 msk smält smör
2 1/2 dl kesella (10 %)
1–2 msk färskpressad limejuice

Gör så här:
1. Stöt polkagrisarna grovt i en mortel. Ta undan lite till garnering.
2. Vispa grädden. Smält chokladen i vattenbad eller i mikrovågsugn.
3. Smula digestivekexen och blanda med det smälta smöret.
4. Blanda den vispade grädden med kesella och den smälta chokladen. Rör ner polkakrosset. Smaka av med limejuice.
5. Lägg digestiveblandningen i bottnen på 4 glas. Fördela gräddblandningen över. Ställ i kylen 4–6 timmar. Garnera med polkagrisar och gärna citronmeliss.

JORDÄRTSKOCKSSOPPA MED ISTERBANDSCRUNCH

Anna Gustavsson, Växjö: En lättlagad rätt med traditionella småländska råvaror använda på ett modernt sätt som passar för ett kök där man vill kombinera snabblagat med nyttigt!

För 4 personer
300 g jordärtskockor
150 g potatis (mjölig sort)
1/2 hönsbuljongtärning
1 1/2 dl vispgrädde
2 1/2 dl mjölk
2 isterband (300 g)
2 msk hackad persilja
vatten
salt, vitpeppar

Gör så här:
1. Skala skockor och potatis. Skär i 2–3 cm stora tärningar. Koka i 2 1/2 dl vatten under lock tillsammans med buljongtärningen tills de är mjuka, ca 10 minuter.
2. Tillsätt grädde, mjölk, 1 tsk salt och 1 krm peppar. Mixa soppan slät med en stavmixer eller i en matberedare. Varmhåll.
3. Dela isterbanden på längden. Ta bort skinnet och smula ner innehållet i en het panna. Fräs det knaprigt.
4. Fördela soppan i djupa tallrikar, strö över isterbandscrunch och persilja. Servera gärna med ett lingonbröd till samt smör och ost.

Pära, sill å kröse, dä ä gött dä, sa drängen

ÖSTERGÖTLAND ligger mellan Vätterns strand och Östersjön. Söderut breder den bördiga Öst-götaslätten ut sig, som en gång var havsbotten. I väster ligger Omberg med milsvid utsikt. Naturen är kuperad och rik på sjöar och vattendrag. Det finns också stora skogsområden med mycket vilt, bland annat Kolmården, som idag är mer känd för exotiska djur än för de vida skogarna. I öster lockar S:t Annas skärgård. Och genom alltihopa ringlar den glittrande Göta kanal. När den byggdes var Motala verkstad den största mekaniska industrin i Sverige.

Även om östgöten ansetts som välbeställd krävdes det att man var sparsam. Potatisen var huvudföda, och kärt barn har många namn: jorpära, knola, knos… Pärapannkaka var vanligt i de östgötska gårdarna . Liksom korv. Det var surkorv, hackekorv, potatiskorv och fläskkorv. »En korvsoppa ska koka så sakta som en brud skrider«, sa man.

I Vadstena och Alvastra kloster odlades örtkryddor och medicinalväxter, och det sägs att Sveriges första pepparkakor serverades där och hade inslag av kanel, peppar och fänkål.

»Det finns inget
mer östgötskt.
Det hörs ju till och med på
namnet waggmönk!«
Mahlin Wiggur

RAGGMUNK MED FLÄSK

Raggmunk med frasig kant, tunn som en spetsduk, serverad med stekt fläsk och rårörda lingon. Det är och förblir östgötarnas favoriträtt nummer ett. Den är gjord på råriven potatis som blandas med en smet av mjöl, ägg och mjölk och steks som pannkakor. Ordet ragg kommer från den raggiga ytan och munk från att man stekte raggmunkarna i munkpannan.

För 4 personer

800 g potatis	1 tsk socker
(fast sort)	2 ägg
2 1/2 dl vetemjöl	smör
5 dl mjölk (3 %)	salt, vitpeppar

Gör så här:

1. Vispa samman mjöl, mjölk och socker till en jämn smet. Vispa i äggen och tillsätt 1 tsk salt och 2 krm peppar.

2. Skala och finriv potatisen. Blanda ner potatisen i smeten. Stek stora plättar, ca 10 cm i diameter, i smör tills de är gyllenbruna på båda sidor.

Servera med stekt fläsk och lingonsylt.

I skafferiet

Östergötlands rika skafferi av odlade grödor som raps, ärter och potatis har sällskap av både fisk och mejeriprodukter. Traditionerna är starka, men det är även förändringens vindar; vätternröding och gädda har makat lite på sig för kräftorna som tas upp i ton från Vättern och insjöarna. Och kålrotssoppan kanske inte lever kvar så starkt som förr. Men raggmunken, den är det ingen som får röra om östgötarna får bestämma.

HOVSENAP

Bo Stigson odlar både gult och brunt senapsfrö och tillverkar kändisen Hovsenap, som har vunnit flera priser. Men han gör också stark whiskysenap och nyheten champagnesenap med honung, som blir extra god i en fin dressing.

VIT SALTGURKA

Den vita, knubbiga släta inläggningsgurkan är specifik för Östergötland. Den kommer till våren och finns fram till hösten, så det är riktig längtansmat under vintern. Förr var det vanligt att sommargästerna köpte på sig den vita inlagda gurkan i stora lass innan de åkte hem för sommaren.

RAPSOLJA OCH GLASS

På Sänkdalens gård, på Vikbolandet utanför Norrköping, finns mjölk- och köttdjur men också ekologiskt odlad raps. Den kallpressas på gården, och oljan, som innehåller massor av nyttiga omega 3-fettsyror, tappas på flaskor. Restprodukterna blir till foder till korna på gården, som i sin tur bjuder på ekologisk mjölk. När en liten glassfabrik i närheten blev till salu kom tillfället att även tillverka glass av gårdens ekologiska mjölk.

HARGODLARNA

Det är många som tillverkar marmelad och sylt av sina bär och frukter, så det gäller att göra något unikt, tänkte Ann-Sofi och IngMarie Johansson. De har jobbat hårt med smakutveckling och kokar sin sylt i kopparkittel över gaslåga. Resultatet är Heta nätter, med rabarber, chili och choklad, Mystik, som innehåller blåbär och mörk rom, och Lycka, gjord på hallon och choklad. Med mera.

Visste du att...

Nästan hälften av alla ärter som odlas i landet kommer från Östergötland.

SPICKEKORV

Sägnen om hur spickekorv blev så populär börjar med att läroverkspojkarna skulle ha matsäckskista med sig för att klara kosthållet under terminen. Modern la med en hårt saltad lufttorkad korv, som blev så uppskattad och vida berömd att hon började sälja sin korv till hushållen i Linköping. Enligt receptet ska korven torkas så att sältan tränger ut och korvskinnet vitnar. Spickekorven var född. Den kallas också västerlösakorv och görs idag av flera tillverkare.

Nya landskapsrätten

»Isbergssallad, vätternröding och gröna ärtskott blir en vårfräsch, modern variant av de klassiska kåldolmarna. Här blandas syrligt, ärtigt och rökigt så de östgötska slättsmakerna når oanade höjder!«

LAXDOLMAR MED ÄRTVINÄGRETT

Våriga dolmar gjorda på isbergssallad och lax. Serveras med östgötska gröna ärter och ärtskott.

För 4 personer

500 g skinn- och
  benfri laxfilé
1 ägg
2 dl vispgrädde
2 krm tabasco
100 g rökt fisk
  (t ex lax eller sik)
1/2 dl hackad dill
12–14 stora blad
  isbergssallad
  (ca 2 huvuden)
1/2 gul lök
3 dl vitt vin
salt, vitpeppar
ärtskott till garnering

Ärtvinägrett

2 dl frysta, tinade
  gröna ärter
3 schalottenlökar
2 msk ättiksprit (12 %)
4 msk socker
6 msk vatten

Gör så här:

1. Börja med vinägretten. Skala och finhacka löken. Blanda ättika, socker och vatten med löken. Låt stå kallt över natten. Blanda i ärter precis före servering.
2. Skär den färska laxen i grova bitar. Lägg i en matberedare tillsammans med ägg, grädde, tabasco, 3 krm salt och 1 krm peppar. Mixa ca 10 sekunder, tills färsen går ihop.
3. Skär den rökta fisken i mindre bitar. Blanda den och dillen med färsen utan att mixa.
4. Koka upp vatten i en stor kastrull. Lossa bladen från salladshuvudena. Doppa dem i det kokande vattnet så att de mjuknar.
5. Kyl i iskallt vatten. Låt dem rinna av på en handduk.
6. Fördela laxröran i bladen och vik/rulla ihop till dolmar och lägg med skarven nedåt.
7. Skala och finhacka löken. Lägg dolmarna tätt i en stekpanna (med lock). Häll på vinet och löken. Strö över 1/2 tsk salt.
8. Koka upp med locket på och låt sjuda ca 5 minuter. Ta från värmen och låt stå ca 10 minuter.
Servera laxdolmarna med ärtvinägretten och garnera med ärtskott.

ÅSA LINDELÖW ÅLDER: 45 **FAMILJ:** Maken Mats och barnen Emma, 15, och Wilmer, 10.

Åsa bor i Enskede utanför Stockholm och arbetar som kommunikationskonsult. Men hon bodde i Linköping tills hon var sju, och hennes mammas föräldrahem ligger utanför Vadstena. Där har hon tillbringat många somrar, och idag har familjen landställe där. Där finns också hennes matrötter, och där lärde hon sig att göra mat från grunden. Hon var med och gjorde korv och bakade bröd. Hennes vinnarrätt kom till när hon gick och var sugen på kåldolmar men bara hade lax i kylen. Hon lät sig inspireras av det asiatiska och använde sallad som hon lindade runt laxen.

KORNGRYN À LA SLÄTTEN

Magnus Söderström, Linköping: Ris à la Malta i östgötsk tappning. Korngrynens lilla sötma passar fint i denna dessert.

För 6 personer
2 dl korngryn
5 dl vatten
1 vaniljstång
4 dl mjölk
1 dl vispgrädde
finrivet skal av 1 apelsin
4 msk florsocker
salt
Jordgubbs- och apelsinsallad
4 apelsiner
1 liter jordgubbar
1/2 dl Cointreau
1 msk strimlad mynta

Gör så här:
1. Koka korngryn med vatten och 1 krm salt under lock ca 10 minuter. Snitta vaniljstången på längden och skrapa ut fröna.
2. Tillsätt vaniljstång + frön och mjölk i korngrynen. Låt sjuda ytterligare ca 30 minuter. Rör om då och då så att det inte bränns. Ta av från värmen och låt kallna.
3. Vispa grädden fluffig. Blanda ner apelsinskal och florsocker i den kalla gröten. Vänd ner den vispade grädden precis före servering.
4. Jordgubbs- och apelsinsallad: Skala apelsinerna med kniv. Skär ut hinnfria klyftor. Pressa ut juicen ur det som är kvar av apelsinerna.
5. Rensa och skär jordgubbarna i bitar. Blanda med apelsinklyftorna + juice och mynta.
Servera korngrynen med jordgubbs- och apelsinsalladen. Garnera gärna med mynta.

RÅRAKOR MED VÅRIG KRÄFTSTJÄRTSSALLAD

Malin Holmer, Bromma: Vätternkräftor och boxholmsost är populära ingredienser i Östergötland. Och raggmunken är den traditionella landskapsrätten. Tillsammans blir det nytt och modernt.

För 4 personer
800 g potatis (fast sort)
1 ägg
smör, olivolja
salt, peppar
dillvippor till garnering
Kräftsallad
1 kg hela kräftor
1 syrligt äpple
2 salladslökar
100 g kryddost,
   t ex boxholms
1 msk färskpressad
   citronjuice
1/2 dl finskuren dill

Gör så här:
1. Kräftsallad: Skala kräftorna och använd stjärtarna. Dela, kärna ur och skär äpplet i små tärningar. Skär salladslöken i strimlor. Skär osten i lika stora tärningar. Blanda kräftstjärtar, äpple, salladslök, ost, citronjuice och dill med 3 msk olja.
2. Rårakor: Skala, skölj och riv potatisen grovt. Låt rinna av i durkslag och krama ut vätskan. Blanda potatisen med ägg, 1 tsk salt och 2 krm peppar. Stek små rårakor av smeten i smör i en stekpanna.
3. Servera kräftröran till de nystekta rårakorna. Garnera med dillvippor.

I kan la ta utå dä lella sum ä, sa darramor, å bjö på sextan sörter

VÄSTERGÖTLAND har en skiftande natur. Landet mellan Vänerns och Vätterns stränder erbjuder vilt och bär från skogen, säd från den bördiga Västgötaslätten och fisk från Sveriges största sjöar. Västerut finns till och med en kort havssträcka ut mot Kattegatt, utanför Göteborg, med allt vad havet kan erbjuda. Här finns »allt«.

Det sägs att Svea rikes vagga stod i Västergötland. De första bosättarna i Sverige seglade uppför Göta älv och blev kvar. De historiska vingslagen är tydliga och har fått ny fart genom filmerna om tempelriddaren Arn. Typiskt västgötskt är trandansen vid Hornborgasjön, knallebygden runt Borås och den kotäta Falbygden, där ost, kalvdans och andra mjölkprodukter spelar en central roll. I trakten runt Falköping finns flera mejerier.

Västgöten Jonas Alströmer, som började odla potatis på sin gård, har fått ett helt land att bli potatisälskare. Andra odlade grödor, som morot, korn och havre, har alltid varit viktiga, men det intensiva jordbruket har också gjort jorden utarmad. Det fick textilindustrin att växa fram som alternativ sysselsättning, med Borås som knutpunkt.

>»Sedan urminnes tider typiskt för Västergötland. Ingen annanstans i Sverige smakar denna delikatess så bra som i Varatrakten – grynkorvens högborg.«
>
> *Ann-Cathrine Carlsson*

GRYNKORV

Rätten är sprungen ur nödvändigheten att dryga ut köttmaten med något sädesslag. Grynkorven består av grovmalet fett, fläsk, hackad lök och korngryn som fått svälla över natten. Rikligt med kryddpeppar och salt ger smak – proportionerna var upp till varje husmor.

Ger ca 60 korvar
1 kg korngryn
10 m krokfjälster
3 gula lökar
3 kg magert fläskkött
300 g späck
2 tsk malen kryddpeppar
salt, grovsalt

Gör så här:
1. Lägg korngrynen i blöt i 1 liter vatten över natten.
2. Lägg fjälstret i kallt vatten några minuter och spola igenom kallt vatten några gånger.
3. Skala löken. Skär fläskkött, späck och lök i bitar och mal i en köttkvarn.
4. Blanda detta med korngryn, kryddpeppar och 3 msk salt. Arbeta smeten väl. Stek gärna ett smakprov.
5. Trä upp krokfjälstret på korvstoppningstillbehöret. Stoppa smeten i fjälster ganska löst.

6. Bind om ändarna på korvarna med bomullssnöre. Varva korvarna med grovt salt i en bunke över natten. Skölj av dem och lägg i fryspåsar och frys in.
Vid servering: Tina korvarna över natten i kylskåp. Lägg dem i hett vatten och sjud 20–30 minuter utan lock. Tillsätt gärna lite salt, lökklyftor och några kryddpepparkorn i kokvattnet. Servera gärna med potatis- eller rotmos och stuvade bondbönor.
Tips! Korven håller 3–4 månader i frysen.

I skafferiet

Bondbönan serveras på finkrogarna och höjs till skyarna för sin nötiga smak och mjälla konsistens. Det är tätt mellan korna, och kalvdans, billingeost och västgöta kloster hör till landskapets stoltheter. På Västgötaslätten odlas potatis, morot och spannmål. Potatisakademin har sitt säte här. I landskapet finns så mycket körsbär att man har VM i kärnspottning. Blåbär och lingon finns i skogen. Vänerlöjrommen är grädde på moset, kanske från Goda Fisken i Spikens fiskeläge.

OST!

I kotäta Falbygden finns flera mejerier och världens enda osteria; hos Falbygdens ost. Här finns också Sivans osthandel, som är expert på att långlagra ost, och Påverås gårdsmejeri, som gör allt från gruyère till chèvre. Eleonora Lindström, som såg till att västerbottensosten blev en klassiker, kom från Österängs mejeri vid Kinnekulle, så det skulle kanske kunna ha blivit en västgötaost som blev världskänd.

POTÄTER

Potatis ligger västgötarna varmt om hjärtat, och Lars Skoog i Vara gör sitt för att se till att det finns en potatis för alla smaker. Även Thomas Eriksson på Larsagården har många sorter, bland annat favoriterna fontane, asterix och nya amandine.

KALVDANS

I Kullings härad har 22 mjölkbönder med sammanlagt 1 500 kor gått ihop för att kunna leverera råmjölk till Kullings kalvdans. Råmjölken är den allra första mjölken som kon ger efter kalvning, och den har högre proteinhalt och innehåller massor av nyttiga mineraler. Kalvdansen med smak av vanilj och mandel bakas på överskottet av råmjölken från korna och kan beställas med den kryddning man önskar.

GRYNKÔRV

Grynkorv görs av bland annat Erikssons chark i Nossebro och Vedums chark utanför Lidköping. Men vad dricker man till grynkorv? Ett förslag är en pinot noir med fruktighet och mjuk karaktär, men ett aromatiskt veteöl sägs också gå bra. Det sägs att »grynkôrv får drycken att sjunga!«.

SVENSK HUMLE

Qvänum Mat & Malt brygger öl på inhemska humlesorter och grannens ekologiska kornmalt. Ölet serveras på gårdens restaurang och finns i Systembolagets beställningssortiment.

SVERIGES KORNBOD

Wästgötarna är ett tiotal innovativa ekologiska lantbrukare som fångat upp kunskapen om hur man odlar forntida spannmålssorter som spelt och emmer med modern teknik. De gör allt från dinkelmjöl till mannagryn och rågkross, som säljs lokalt.

Visste du att...

Havre odlad i Västergötland fraktades till England på 1930-talet och fungerade som drivmedel till Londons alla hästspårvagnar. Kornet blev till kornmjöl och korngryn.

ÄLGFILÉ MED KANEL- OCH VINBÄRSSÅS SAMT ROTFRUKTSKAKA

En salig blandning från västra Götalands skogar och jordbruksmarker.
Fin balans av surt, sött och kryddstarkt.

För 4 personer
600 g älgfilé
ca 200 g färsk karljohans
 eller annan svamp
smör, rapsolja
salt, peppar

Vilt-rubb
1 msk enbär
1 tsk timjan
1 msk farinsocker
2 tsk malen ingefära
1 tsk finhackad chilifrukt
 (tex spansk peppar)

Kanel- och vinbärssås
6 dl vatten + 2 msk konc
 kalvfond
2 dl rödvin
1 dl svarta vinbär
1 kanelstång
1 krm timjan
3 enbär
1 1/2 msk socker
majsstärkelse (Maizena)
ev 1/2 dl hackade
 körsbär

Rotfruktskaka
2 vitlöksklyftor
4 dl vispgrädde
600 g potatis (fast sort)
3 morötter (ca 300 g)
3 palsternackor
 (ca 300 g)

Gör så här:
1. Börja med vilt-rubben. Stöt enbären i en mortel och blanda med resten av ingredienserna till rubben samt 1 msk salt och 2 tsk svartpeppar. Ställ åt sidan.
2. **Sås:** Koka upp vatten, fond, vin, vinbär, kanelstång, timjan och enbär. Låt koka ihop så att ca 4 dl återstår.
3. Tillsätt socker. Koka upp och sila av såsen. Red med majsstärkelse utrörd i lite vatten. Sjud ca 2 minuter.
4. **Rotfruktskaka:** Sätt ugnen på 175°C. Skala och finhacka vitlöken. Koka upp grädden med vitlöken.
5. Skala och skär potatis och rotfrukter i tunna skivor. Blanda dem med grädden. Krydda med 2 1/2 tsk salt och 1 krm peppar. Koka upp.
6. Häll i en smord ugnssäker form och ställ mitt i ugnen 45–60 minuter.
7. **Älgfilé:** Sätt ugnen på 125°C. Putsa köttet. Skär filén i ca 5 cm tjocka skivor.
8. Rulla köttet i vilt-rubben och bryn runtom i en stekpanna i 2 msk olja. Lägg i en ugnssäker form. Sätt in en köttermometer i den tjockaste delen.

9. Ställ in i ugnen 20–25 minuter, tills köttets innertemperatur är 60°C. Ta ut och låt vila ca 15 minuter inlindat i smörpapper.
10. Skär svampen i bitar/skivor. Fräs den i 1 msk smör några minuter. Salta och peppra. Värm såsen. Rör ner 2 msk smör och ev hackade körsbär. Skär köttet i skivor och servera med rotfruktskaka, svamp och sås.

ANNIE HANSSON
ÅLDER: 18 **FAMILJ:** Mamma, pappa och lillebror.
Annie bor i Trollhättan och är uppvuxen där. Hennes matintresse är stort, vilket bland annat visar sig i att det är hon som lagar maten hemma. Hon går på hotell- och restaurangskola på gymnasiet och har som mål att utvecklas inom kockyrket. Drömmen är att en dag ha en egen restaurang. När hon har lite tid över rider hon. Vinnarrätten kom faktiskt till under en lektion. På kursen i tävlingsmatlagning fick de i uppdrag att skapa en landskapsrätt. Annie hade Hunnebergsskogen i tankarna när hon lagade. Där jagar kungen älg, och där finns enbär och svamp.

Nya landskapsrätten

»Underbart mör filé med häftiga viltsmaker kombineras med en mörkröd sås på vin och svarta vinbär som får ett friskt och fräscht inslag av västgötska körsbär. En krämig, soligt gul rotfruktskaka fullbordar denna festrätt. Balansen mellan sött, syrligt och kryddstarkt gör den oemotståndlig!«

RAGGVÅFFLOR MED KRÄFTRÖRA

Anna Sandberg, Forsvik: Raggmunk i våffeljärnet är både fettsnålare och snabbare. Kräftor från Vättern för den som har tillgång. Alingsåspotatis och vänerrom. En läcker förrätt eller smårätt.

För 4–6 personer
500 g potatis (fast sort)
5 dl mjölk
3 dl vetemjöl
salt, peppar
rapsolja
flytande margarin

Kräftröra
1 burk kräftstjärtar
  (360 g)
1/2 dl crème fraiche
1 dl majonnäs
finrivet skal av 1 citron
1/2 dl finskuren dill
1 tsk hel kummin
1 1/2 tsk brännvin, t ex
  OP (kan uteslutas)
100 g forell- eller laxrom

Gör så här:
1. Vispa ihop mjölk, mjöl, 1 tsk salt, 1 krm peppar och 1/2 dl olja till en jämn smet. Smeten kan med fördel stå och svälla någon timme.
2. Häll av kräftstjärtarna och pressa ut vätskan. Blanda med crème fraiche, majonnäs, citronskal och dill.
3. Stöt kumminen i en mortel. Tillsätt den, ev brännvin, 1 krm salt och 1 krm peppar i kräftröran.
4. Skala och riv potatisen fint och blanda ner i våffelsmeten. Pensla våffeljärnet med flytande margarin och grädda gyllenbruna våfflor.
5. Klicka kräftröra på våfflorna vid servering. Toppa med rommen och garnera gärna med citronklyfta och dillvippa.

FRYST KÖRSBÄRSTÅRTA MED CHOKLAD

Birgitta Forsgård, Skövde: Mäktigt möte mellan körsbär och choklad som passar perfekt på sommarens fina kalas.

Ger 8–10 bitar
200 g mandelmassa
2 msk kakao
2 ägg
smör
ev körsbärssylt att toppa
    med
färska körsbär till
    garnering

Fyllning
3 äggulor
1 dl florsocker
1 burk körsbärssylt
    (250 g)
3 dl vispgrädde
50 g mörk choklad

Gör så här:

1. Sätt ugnen på 175°C. Riv mandelmassan och blanda med kakao och ägg till en jämn smet.
2. Spänn fast ett bakplåtspapper i bottnen på en form med löstagbar kant, ca 24 cm i diameter. Häll i smeten och ställ in i ugnen 15–20 minuter.
3. Låt kakan kallna i formen. Lossa kanten från formen och spänn fast igen.
4. **Fyllning:** Vispa äggulor och florsocker pösigt. Vispa grädden och rör försiktigt ner i äggsmeten. Rör ner sylten lite i taget.
5. Häll fyllningen på tårtbottnen. Ställ formen i frysen, gärna över natten.
6. Riv chokladen grovt eller skär den i flagor med kniv.
7. Tårtan behöver inte tas fram i förväg, för den tinar fort. Toppa ev med lite körsbärssylt. Strö över chokladen och garnera med färska körsbär.

Va inte så åpen, fesken ska räcka till alla

BOHUSLÄN gränsar i söder tvärs igenom Hisingen i Göteborg, och sedan fortsätter landskapet upp över kala, släta klippor och fiskelägen med vindpinade sjöbodar. Lysekil, Smögen, Fjällbacka och Marstrand... När man hör ortnamnen är det inte svårt att se landskapet framför sig.

I Bohuslän finns Sveriges enda korallrev och första marina nationalpark. Kosterhavet är landets mest artrika havsområde. Förr var musslor och räkor något man agnade med, och hummer var vardagsmat. Idag har skaldjuren gjort en klassresa och är något av det finaste man kan äta. Många av dem har en egen dag eller akademi, som Räkans dag, Hummerkalaset och Ostronakademien. När man pratar om kräftor i Bohuslän menar man havskräftor.

I landskapet tillverkas mat som är ett måste för många till både fest och vardag; förutom midsommarsillen även kaviar och fiskbullar. Förr styrde tillgången på havets silver, sillen, välståndet. Fisken som inte gick till fiskarens familj byttes ofta mot spannmål och andra matvaror.

Men man glömmer lätt att Bohuslän har mer än fårade fiskare och salta bad. Här finns både köttproducenter och odlare, och naturen i inlandet kan bjuda på små sjöar, skog, ängar och myrar.

Silla går te!

På rökeriet i Strömstad kan man äta kallrökt spekemakrill och köpa tångbröd, färsk fisk och skaldjur.

FETT, PROTEIN OCH VITAMINER
är makrillköttet rikt på. Höjdpunkten för fisket är maj och juni.

Ja har tabat madlusta, sa han som hade ät sej mätte

»Äggost – en specialitet
till köttbullar eller sill,
eller med sylt till efter-
rätt om du vill.«
Gunnel Hall

ÄGGOST

Bohuslänsk äggost är en typ av ostkaka som görs i en form med små hål i bottnen så att vasslen kan rinna av. Enligt traditionen kan den serveras som mellanrätt eller som pålägg, men idag känns den kanske mest aktuell som dessert. Och ingen äggost utan björnbär, glöm inte det!

För 6 personer
2 liter mjölk (3 %)
6 ägg
2 dl filmjölk
1/2 dl socker

Gör så här:
1. Värm mjölken till 60°C.
2. Vispa ihop äggen med filmjölken. Vispa ner blandningen i den varma mjölken. Fortsätt att värma på medelvärme 30–60 minuter, tills den skär sig. Rör sakta då och då, det är viktigt att mjölken inte kokar. Ta kastrullen från värmen, låt svalna med lock på ca 20 minuter.
3. Lägg en silduk/kökshandduk i ett durkslag

(man kan också använda en form med små hål i, s k äggostform).
4. Ös försiktigt upp ostmassan med en hålslev, lägg först ett lager ostmassa, strö sedan över lite av sockret. Upprepa detta tre gånger.
5. Låt äggosten stå kallt några timmar (gärna över natten) tills all vassle runnit av.
6. Stjälp upp äggosten och servera med färska björnbär eller björnbärssylt.

I skafferiet

Även om det visst finns både vilt i skogarna, odlade ytor, bär och primörer är det naturligtvis havets tillgångar som Bohuslän är mest känt för. Här fiskas havskräftor, hummer, musslor, räkor och ostron. Och sill och makrill förstås!

TRÄDGÅRD

Kosters trädgårdar är en besöksträdgård med restaurang och kafé, och maten i fokus. De använder grönsaker och kryddor från egna odlingar, och när det inte räcker till köper de från närliggande ekologiska gårdar. Deras huvudsyfte är att inspirera andra till ett hållbart gott liv, genom att äta efter säsong och odla själv.

TJÖRNODLAT

På Tjörn blomstrar jordbruket. Tjörnodlat är en sammanslutning av lantbrukare som erbjuder Kravodlade primörer under så lång säsong som möjligt. De odlar flera sorters potatis, morötter, rödbetor, zucchini, purjolök, dill och jordgubbar. Med mera! I Sundsby handelsbod på Tjörn kan man hitta mycket av detta.

SVENSKA OSTRON

Sverige är ett ostronälskande land, och importen har ökat med 900 procent sedan 2002. Bohusläns vatten innehåller mycket näring för ett vattenfiltrerande djur som ostron, men det är lite för kallt för deras fortplantning. Ostrea Sverige har med hjälp av Fiskeriverket nu fått se de första ostronlarverna kläckas, och de har satts ut i öppna havet för en tillväxtperiod på tre år. Första skörden beräknas ske 2011. Men blir du sugen innan så åk till Grebbestad – ostronets huvudstad.

AKADEMIER

Musslan, ostronet, räkan och hummern har egna akademier i Bohuslän! Musselakademien berättar exempelvis att musslor är fantastiska på att filtrera havsvattnet och kan hjälpa till med miljöproblemen i havet. Räkakademien arbetar för ett hållbart fiske och berättar att först 1902 lärde sig fiskarna i Kosterfjorden att fånga och koka läckerheten.

Visste du att ...

Hummerfiske är lika naturligt för kustbefolkningen i Bohuslän som älgjakten är i andra delar av landet.

FÅRGÅRD PÅ ORUST

Töllås fårgård ligger på Orusts nordspets. I butiken finns lammkött och nötkött från deras highland cattles. Där finns också egenodlade grönsaker, lammkorv och lammskinn. Och deras egen marmelad med morot och fläder.

KUSTKÖTT

I norra delen av Bohuslän har några nötköttsproducenter gått samman och bildat varumärket Kustkött. Det är åtta utvalda små lantbruk där djuren föds upp naturligt och får ströva fritt i havsvikar och på ängar. Slakten sker lokalt och köttet hängmöras. Att djuren håller landskapet öppet är en fin bonus.

HALSTRAD MAKRILL MED NÄSSELRÖRA

Lättlagad makrill med krämig nässelröra. Mycket Bohuslän i denna eleganta husmansrätt.

För 4 personer
ca 600 g makrillfilé
1 kg färskpotatis
1 gul lök
1 liten purjolök
  (ca 100 g)
ca 1 dl kärnfria
  kalamataoliver
2–3 dl förvällda, hackade
  nässlor (eller 300 g
  fräst färsk spenat)
4 dl vispgrädde
1 krm kajennpeppar
2 mjukkokta ägg
smör, olja
salt, peppar

Gör så här:
1. Koka potatisen mjuk i lättsaltat vatten.
2. Skala och hacka lök och purjolök. Fräs försiktigt i 2 msk smör 5–6 minuter.
3. Grovhacka oliverna och rör ner i löken tillsammans med nässelhacket. Fräs ytterligare 1–2 minuter.
4. Koka upp grädde och kajennpeppar i en kastrull. Låt koka ner till cirka hälften. Smaka av med salt och peppar.
5. Stek/halstra makrillfiléerna i en het och lättoljad stekpanna ca 3 minuter på varje sida. Krydda med salt och peppar. Blanda nässelfräset med grädden.
6. Servera makrillen med nässlorna, den kokta potatisen och äggklyftor.

ANNA SVENSSON ÅLDER: 42 **FAMILJ:** Sonen Ask, 11.
Anna, som är konstnär, bor i Svenshögen sex mil norr om Göteborg. Anna kommer från Blekinge men har rotat sig i Bohuslän efter 13 år där. Hon blev inte intresserad av mat förrän hon var närmare trettio, när hon träffade en kock från Alaska. Men nu gör hon ofta egna kreationer som hon samlar i en bok, även om vardagsstressen gör att hon inte alltid hinner. Andra intressen är litteratur, yoga, natur och äventyr. Hennes makrillrätt kom till en kväll när hon var på ett strålande humör och susade runt i köket. Hon hade plockat nässlor och fått tag på makrill. Oliver och kajennpeppar blev pricken över i.

Nya landskapsrätten

»Stilren, modern husmansrätt. Makrill är Bohuslän för många. Här får den sällskap av en krämig nässelröra kryddad med oliver. Några leende äggklyftor och gärna ångande nykokt färskpotatis fullbordar denna rätt.«

»ÄGGOST« MED BJÖRNBÄRSKOMPOTT

Maria Bodestig, Lysekil: Len, mild äggostliknande kräm möter syrligt söta björnbär. Och knapriga nötter på toppen. Jättegott!

För 6 personer
1 paket frysta björnbär (250 g)
1/2 dl farinsocker
färskpressad juice av 1 lime
1 msk majsstärkelse (Maizena)
3–4 msk hackade pistaschnötter

Äggost
2 ägg
1 msk florsocker
1 msk vaniljsocker
250 g mascarponeost
rivet skal av 1 lime

Gör så här:
1. Koka björnbären (spara några hela till garnering) med sockret ca 3 minuter. Tillsätt limejuice och ev mer socker, då bärens sötma kan variera.
2. Red med majsstärkelsen utrörd i 1/2 dl kallt vatten och låt sjuda ytterligare 2 minuter. Låt svalna.
3. Äggost: Dela äggen i gulor och vitor. Vispa äggvitorna till ett hårt skum. Vispa äggulorna fluffigt med florsocker och vaniljsocker. Blanda mascarponen med äggulorna. Tillsätt limeskalet och vänd ner äggvitan.
4. Varva björnbärskompott med äggost i 6 glas. Förvara i kyl fram till servering. Toppa med de hela björnbären, pistaschnötter och gärna en kvist citronmeliss precis före servering.

BJÖRNBÄRSSILL PÅ TÅNGKNÄCKE

Maria Bodestig, Lysekil: Fräckt björnbärsröd sill med frisk syrlighet. Nyupptagen tjörnpotatis och tångknäcke från Grebbestad kompletterar sillen fint.

För 4–6 personer
1 burk inläggningssill (420 g)
1/2 dl ättiksprit (12 %)
1 dl farinsocker
1 dl vatten
1 paket frysta, tinade björnbär (250 g)
3 torkade limeblad
2 msk färskpressad limejuice
6 svartpepparkorn
4 vitpepparkorn
2 schalottenlökar
5–6 potatisar (ca 500 g)
tångknäckesticks eller annan typ av knäckesticks

Gör så här:
1. Koka upp ättiksprit, farinsocker och vatten. Låt svalna helt.
2. Lägg 1/2 dl björnbär i ättikslagen. Ta undan några bär till garnering, mixa resterande med stavmixer eller i matberedare. Passera genom en finmaskig nätsil.
3. Tillsätt den passerade björnbärsjuicen, limeblad, limejuice och pepparkorn i ättikslagen. Skala och finhacka schalottenlöken och blanda ner i lagen.
4. Häll av, skölj och skär sillen i ca 1 1/2 cm breda bitar på snedden.

5. Blanda sillen med lagen i väl rengjord glasburk med lock. Låt stå kallt 1–2 dygn.
6. Koka potatisen och skär i skivor.
7. Fördela potatisskivorna på tallrikar. Lägg på sillen. Garnera med hela björnbär. Servera med tångknäcke-sticks och gärna en klick crème fraiche samt tunt skivad rödlök.

Å ta lite till!
En lita smula

DALSLAND brukar beskrivas som ett Sverige i miniatyr med slättland i söder och skogsland-skap i norr. Fäbodgränsen delar landskapet i två stora natur- och kulturområden. I norr dominerar myrmarken och skogen – tänk Ronja Rövardotter så ser du det framför dig, den är inspelad här. Och i söder breder det uppodlade slättlandet ut sig.

I Dalsland är det »vattentätt«. Dalslands blå band brukar den kallas, kanalen som består av grävda kanaler och ett antal vattendrag. Tillsammans utgör de 11 procent av landskapets yta och bildar ett 24 mil långt segelbart sjösystem. Här finns pittoreska slussamhällen, hand-vevade slussar (totalt 31 stycken) och akvedukten i Håverud.

Den variationsrika naturen gör Dalsland populärt för vildmarksturister, där paddelturer är ett självklart val.

Dalsland är också blånande berg och blommande sommarängar, odling av korn och havre, bäversafari, tjärdalar och kolaren som väntar vid sin mila. I Halmens hus kan man se hur bondens guld blivit till både hattar och skor. Konst och konsthantverk av det enkla som finns runt omkring oss är Dalslands signum.

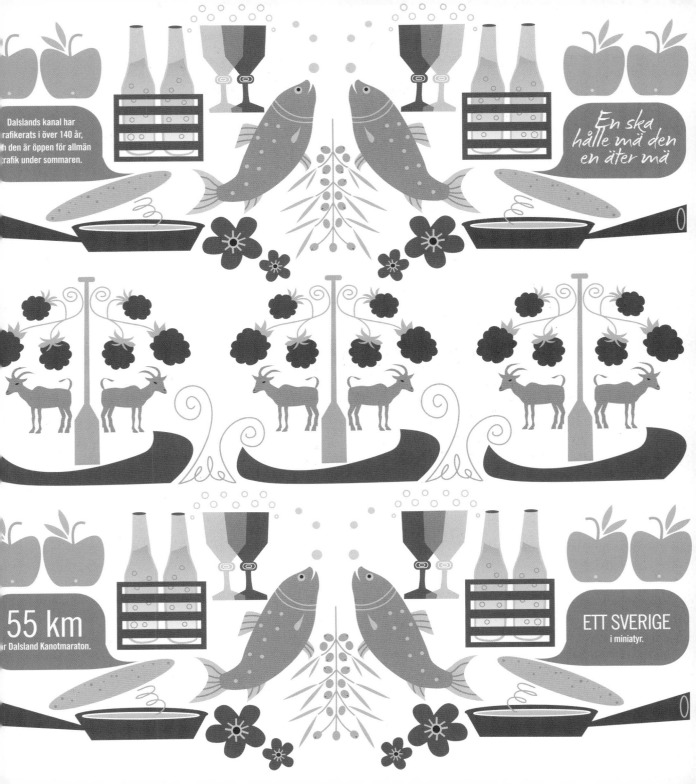

»Det finns inget som doftar ljuvligare än nybakad äpplekaka serverad en sommardag i bersån!«
Chris Bohm

ÄPPELKAKA FRÅN ÅMÅL

Äpplekaka från Åmål är ett slags toscaäpplen som görs på ugnsstekta äppelklyftor och får smak av mandel. Rätten görs gärna av landskapsäpplet oranie, som är svagt syrligt och aromatiskt och passar ypperligt till desserter.

För 6 personer
6 äpplen (ca 1 kg)
1 dl sötmandel
50 g smör
1 msk vetemjöl
2 msk mjölk
1 dl socker
smör till formen

Gör så här:
1. Sätt ugnen på 225°C.
2. Skålla mandeln i kokande vatten. Skala och hacka den.
3. Skala, klyfta och kärna ur äpplena. Lägg dem i en smörad ugnssäker form (ca 20x30 cm). Ställ in i ugnen 5–10 minuter, tills de mjuknar.

4. Smält smöret i en kastrull. Rör ner mjöl, mjölk, mandel och socker. Häll smeten över äpplena och grädda kakan ca 20 minuter, tills den har fått lite färg.
Servera kakan ljummen med vispad grädde.

I skafferiet

Från slätterna kommer spannmål, och i skogen finns rådjur, bäver och vildhallon i snår. Den stora mjölkproduktionen blir till brynost, sannost och kalvdans. Handel med oxar var stort historiskt och syns än idag i landskapsvapnet. Vänergös, vänerlax och annan fisk från Dalslands alla vattendrag är en skön lyx i skafferiet.

VID KANALEN

Håfveruds rökeri vid kanten av Dalslands kanal röker regnbåge, lax, sik och ål. Och i fisk- och skaldjursrestaurangen som också ligger vid den berömda akvedukten kan man avnjuta fisken på plats.

DALSLÄNDSK HAVTORN

Att det finns havtorn i Dalsland vet inte alla, men på familjejordbruket Torgunnehagen odlas och förädlas havtorn så till den milda grad att de vann både guld och silver i SM för sin marmelad, varav en var blandad med hallon.

DALSSPIRAS GETTER

I gårdsbutiken på DalsSpiras mejeri finns inte bara ostar som den lagrade hårda getosten blå Simon, som vann SM-silver i mathantverk 2009. Här finns även getmjölk, getyoghurt och killingkött. Mejeriet köper även getmjölk från andra leverantörer.

PANNKAKOR!

Kossorna på Björneruds gård bidrar med mjölk, och vetet kommer från egen odling. Här steks tusentals pannkakor per dag som går ut till butikerna i området, och i gårdskaféet kan man äta tjockpannkaka, plättar eller äggost, som ju inte bara finns i Bohuslän.

SMÅBRUK

Dal Rostads småbruk är en Kravcertifierad gård med ekologisk produktion av bland annat äpplen, spannmål och lamm. De gör äppelmust av alla de sorter och flädercider. Med mera.

HÄLLBAKAT

I den 100-åriga Hamrane bak- och kaffestuga kan man njuta hällbakat bröd enligt dalsländsk tradition. Så svenskt det kan bli med vita knutar på rött hus och broderade dukar på borden. Häljeruds gårdsbageri bakar också dalslandskakor, som man kan få tag på i regionens butiker.

Visste du att...

På Falkholts Dalslandskrog finns allt från rökt bäver till lax på menyn.

Nya landskapsrätten

»Vårfräsch, syrlig morotssoppa som får ett matigt och modernt inslag av laxspett som glaseras med lokal havtornsmarmelad. Kan serveras som såväl förrätt som huvudrätt.«

MOROTSSOPPA MED LAXSPETT

En fräsch förrätt för åtta eller en lätt varmrätt för fyra.
Lax, morötter och havtorn är mycket Dalsland.

För 8 personer
1 kg morötter
1 gul lök
2 msk finriven ingefära
1 1/2 liter vatten + 3/4 dl
konc kycklingfond
4 dl vispgrädde
2–3 msk färskpressad
citronjuice
600 g skinn- och benfri
laxfilé
3/4–1 dl havtorns-
marmelad eller
mango chutney
ev 1 tsk chiliflakes
2 dl matyoghurt (10 %)
smör, olivolja
salt, peppar

Gör så här:
1. Skala och skär morötterna i ca 1 cm stora bitar.
Skala och hacka löken.
2. Fräs morötter, lök och ingefära i 1 msk smör 3–4
minuter. Tillsätt vatten och fond. Låt koka under lock
ca 25 minuter, tills morötterna är mjuka.
3. Mixa soppan slät i en matberedare eller använd en
stavmixer.
4. Tillsätt grädde och låt soppan sjuda ca 5 minuter.
Smaka av med citronjuice, salt och peppar.
5. Skär laxen i bitar och trä på spett. Stek runt om i
1 msk olja 2–3 minuter. Pensla på havtornsmarmelad/
mango chutney mot slutet. Krydda ev med chiliflakes.
6. Servera soppan med en klick matyoghurt och
ett laxspett på kanten. Garnera ev med lite färsk
körvel.

ANNA FREDRIKSSON ÅLDER: 28 **FAMILJ:** Sambon Magnus.
Anna är ingenjör men är tjänstledig för att studera vindkraft.
Hon bor i Göteborg, men hennes släkt kommer från Dalsland
och de har sommarstuga där. Hennes matintresse har växt
fram allteftersom, och hon tycker om att laborera i köket. Hon
plockar mycket kantareller i Dalsland, så ett säkert kort till
vardags är svamppasta. Hennes vinnarrätt är en morotssoppa
som hon gjort många gånger och som hon kombinerar med ett
laxspett med antingen mango chutney eller marmelad av havtorn.

HONUNGSMARINERAD VÄNERLAX MED JORDÄRTSKOCKSPURÉ

Connie Jansson, Brålanda: Vänerlax är en stolthet i landskapet.
Här lagas den på ett enkelt och läckert sätt.

TIPS! SNABBINLAGD RÖDLÖK
Blanda 1 msk flytande honung
med 1 msk ättiksprit (12 %),
1 msk färskpressad limejuice och
3 msk vatten. Skala och skär
1 rödlök i tunna ringar. Lägg dem
i lagen. Låt ligga ett par timmar
eller helst över natten.

För 4 personer
600 g laxfilé med skinn
600 g jordärtskockor
2 msk honung
1 msk balsamvinäger
1 tsk farinsocker
1–2 dl mjölk
olivolja, smör
salt, peppar

Gör så här:
1. Skala jordärtskockorna
och koka dem mjuka
i lättsaltat vatten. Laga
fisken under tiden.
2. Sätt ugnen på 225°C,
grill.
3. Rör ihop honung, bal-
samvinäger och 1 msk
olja. Lägg fisken med
skinnsidan ner på en plåt
med bakplåtspapper.
4. Fördela blandningen
på fisken och krydda
med 1/2 tsk salt och
2 krm peppar. Strö över
farinsocker och ställ in i
övre delen av ugnen tills
fisken är färdig, beräkna
7–8 minuter.
5. Värm mjölken med
2 msk smör. Häll av
jordärtskockorna. Häll på
mjölk- och smörbland-
ningen. Mixa till en slät
puré med stavmixer eller
i matberedare. Krydda
med 1/2 tsk salt och
1 krm peppar.
6. Servera fisken med
purén och gärna snabb-
inlagd rödlök samt kokt
sparris.

ÄPPELDESSERT MED KANEL OCH ROSTADE HASSELNÖTTER

Arnhild Carlsen & Charles Feijen, Bengtsfors:
Dalsland har många lokala äppelsorter; landskaps-
äpplet heter oranie och har odlats i 200 år. Här blir
det till en läcker äppeldessert.

För 4 personer
600 g äpplen, tex oranie
   eller ingrid marie
1 msk flytande honung
2 ägg
1 1/2 dl vispgrädde
1/2 tsk kanel
1 msk socker
1/2 dl hackade
   hasselnötter
1/2 dl flytande honung
smör
vispad grädde eller
   vaniljglass till
   servering

Gör så här:
1. Skala äpplena och kärna ur dem med en
urkärnare. Skär i 1/2 cm tunna ringar. Stek
dem gyllene i 2 msk smör, ca 2 minuter på
varje sida. Låt rinna av på hushållspapper.
2. Smörj 4 ugnssäkra portionsformar à
ca 1 1/2 dl. Fördela äppelskivorna och
honungen i dem.
3. Vispa ihop ägg, grädde, kanel och socker.
Häll smeten över äpplena. Ställ i ugnen
20–30 minuter. Öppna inte ugnsluckan under
gräddning, annars faller de ihop.
4. Rosta hasselnötterna i en torr och het stek-
panna ca 1 minut. Blanda med honungen.
5. Låt äppelbakelserna svalna något. Stjälp
upp på tallrik eller låt vara kvar i formen.
6. Servera med vispad grädde eller vaniljglass.
Toppa med honungsnötter och garnera gärna
med citronmeliss.

Dä'at bra gött
mä nö tetogg te

VÄRMLAND Ack Värmeland du sköna… Strofen framkallar bilder av milsvida skogar, vemodiga hjärtan och blanka sjöar. Bergsbruk och järnhantering var förr viktiga näringar men gav under 1900-talet vika för skogsbruk, träförädling och papperstillverkning. Skogar och sjöar har gett bär, fisk, fågel och vilt. Älgstammen är stor. Men landskapets slätter nere vid Vänern och i dalgångarna har bördig odlingsmark. Den mäktiga Klarälven som rinner genom landskapet har fina harr- och forellvatten.

Smeknamnet Diktarnas landskap kommer från storheter som Selma Lagerlöf och Gustaf Fröding. Tretusen sjöars landskap är ett annat epitet. Här finns smedjor och bruk med matminnen som kolbullar, nävgröt, tunnbröd och hackkorv. Men här ligger även vackra gårdar, som Mårbacka, med alléer och linne från Klässbol på borden. Där har menyerna innehållit lax i alla dess former, gös, kräftor, bär och frukt. Landskapets krona, värmlandskorven, med nötkött, fläskkött, rå potatis och kryddpeppar i smeten är för vissa viktigare än skinkan på julbordet. Men Värmlands egen matklassiker är ändå nävgröten, som finns kvar sedan den tidiga invandringen från Finland.

Värmlands
körv

I Norge heter den
Femundselva och
Trysilelva. När den strömmar
in i norra Värmland
blir den Klarälven.

MOTTI!
säger många om nävgröten.

Kröser
till joläppl'a

>»Näver say näver
>to nävgröt!«
>*Maria Olsson*

NÄVGRÖT

Nävgröten görs på rostad och malen havre, så kallat skrädmjöl. Det är ett fullkornsmjöl som framställs med vedeldad panna och stenkvarn. Nävgröten kom till under den finska invandringen under 1600-talet och kallas ibland motti. Namnet kommer antagligen från att gröten åts med »nävarna«. Gröten var så torr att den lätt sprack upp i klumpar som man tog upp och doppade i fläskflott.

För 4 personer
6 dl vatten
1 liter skrädmjöl (ca 500 g)
salt

Gör så här:
1. Koka upp vattnet med 1 tsk salt i en kastrull (gärna teflonbelagd).
2. Häll i mjölet, allt på en gång, så att det täcker vattenytan. Tryck försiktigt ner mjölet med en träsked, rör inte.

3. Stäng av värmen och låt kastrullen stå med locket på ca 10 minuter, tills allt vatten ångat igenom mjölet.
4. Rör om och servera gröten med stekt fläsk och lingonsylt.

I skafferiet

Rejält bröd, ost av många slag och korv är basvarorna i skafferiet, men här finns också kalkon, lammkorv, grönsaker och jordgubbar. För att inte tala om gourmetpotatisen från Ängebäcks gård, en liten gullig king edward som äts med skalet kvar. Ett som är säkert är att lokalproducenterna är kreativa och på uppgång.

GRÖNSAKER

Kravcertifierade Torfolk gård ligger vid Klarälven. De odlar sparris, spenat, gräslök, tomat, rucola och det mesta man behöver i grönsaksväg. I gårdsbutiken finns allt detta men även sylt, saft och marmelader. I Gustafssons skafferi i närheten finns också deras produkter och dessutom bröd från Höje vedugnsbageri.

SKRÄDMJÖL

Vid Stöpafors kvarn är processen och maskinerna de samma som när kvarnen togs i bruk 1917. Havren rostas i en stor vedeldad gryta, som rymmer upp till 100 kilo. Skalmaskinen tar bort yttersta skalet och sedan mals havren i sten-kvarnen till skrädmjöl, ett fullkornsmjöl utan gluten. Vid Björkaholmskvarnen fyra mil därifrån stenmals ekologiskt fullkornsmjöl av vete, råg och dinkel, och i bakarstugan kan man både handla bröd och fika.

VÄRMLANDSKORV

Bergquists chark i Torsby gör hackkorv och värm-landskorv på traditionellt sätt. De har eget slakteri och djuren kommer från trakten. Någon mil därifrån ligger Persfolk gård, där det görs korv som när korv var en lyxvara, bland annat på gårdens egna lamm. Där finns också hängmörat kött från nöt och gris. Allt helt naturligt.

OSTAR

På Lillängens gårdsmejeri har man lärt sig av äldre generationer att ta vara på mjölken från både getter och fjällkor. I första hand gör de olika sorters caprin men även getmese, norsk mesost och färskost som peppar-chèvre. Lakene ostgård gör en prisbelönt hårdost men också hemgjord glass som finns i gårds-butiken.

Visste du att...

Namnet skrädmjöl kommer av att man förr sa att man »skrädde« havren när man rostade den före malning.

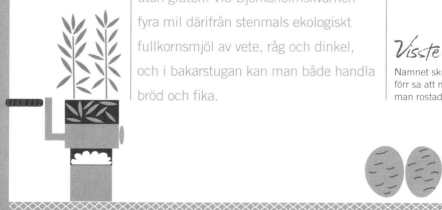

SKRÄDMJÖLSRAGGMUNK MED ÄLGPYTT

Skrädmjöl tillverkas av hel havre som blötlagts, rostats och sedan malts. Det användes traditionellt till s k nävgröt. Här blir det en fin raggmunk som serveras med älgpytt av det finare slaget.

För 4 personer
1 1/4 dl skrädmjöl
1/2 tsk socker
2 1/2 dl mjölk
1 ägg
ca 400 g potatis
1 dl rårörda lingon
smör, olja
salt, vitpeppar
Chilifraiche
2 dl crème fraiche
1 tsk chiliflakes
Älgpytt
600 g älgkött, t ex biff
  eller innerfilé
3 morötter
1 rödlök
1 tsk socker
1/2 dl mörkt öl

Gör så här:
1. Blanda mjöl, socker och 1 tsk salt. Tillsätt hälften av mjölken och vispa ihop till en klumpfri smet. Vispa sedan i resten av mjölken och ägget.
2. Skala potatisen och riv den fint, blanda ner i smeten.
3. Grädda smeten i smör, ca 1 dl smet per raggmunk, som tunna pannkakor några minuter per sida.
4. **Chilifraiche:** Blanda crème fraiche och chiliflakes. Ställ kallt.
5. **Älgpytt:** Skär köttet i 2–3 cm stora tärningar. Skala och skär morötterna i cm-stora tärningar. Skala och finhacka löken.
6. Stek morötterna i smör ca 5 minuter på svag värme.
7. Fräs löken glansig i smör. Tillsätt socker och blanda runt. Häll på ölet och låt koka in.
8. Stek köttet i smör och olja. Krydda med salt och peppar.
9. Servera tillbehören på raggmunken med en klick chilifraiche och gärna rårörda lingon.

THERES SJÖBLOM WITTGREN ÅLDER: 31 **FAMILJ:** Maken David och barnen Wilma, 4, och Jesper, 1.
Theres bor i Skattkärr utanför Karlstad men är uppvuxen i Kristinehamn. En sann värmländska helt enkelt. Theres är mammaledig lärare, och hon skriver noveller på fritiden. Matintresset varierar beroende på tid, och med två små barn är det just nu lite si och så med det. Theres lagar ofta utan recept men har aldrig tidigare skrivit ner sina kreationer. När hon gjorde sin vinnarrätt ville hon göra en enkel rätt med mycket kontraster, och hon utgick från skrädmjölet, som är det mest värmländska hon kan tänka sig.

Nya landskapsrätten

»Det här är grovmat som säger mycket om landskapet. Älg och skrädmjöl är givna ingredienser, tillsammans med rotfrukter och lingon fångas det lokala skafferiet på ett gott och fantastiskt sätt. Det är många smaker som blandas som man vill...«

VÅRIG ÄLGGRYTA

Marita Magnusson, Filipstad: Älgstammen är stor i de värmländska skogarna. Det serveras ofta älggrytor på hösten, här kommer en som smakar mycket vår.

För 4 personer
500 g älgkött (fransyska eller innanlår)
2 liter vatten
1 gul lök
1 vitlöksklyfta
3 morötter
1 persiljerot
4 svartrötter
5 dl vatten + 1 msk konc kycklingfond
2 msk dijonsenap
3 msk messmör
2 dl crème fraiche
1/2 dl hackad dragon
1/2 dl hackad persilja
smör, salt, vitpeppar

Gör så här:
1. Skär älgköttet i lillfingerstora strimlor. Lägg köttet i vattnet med 1 tsk salt och låt koka upp.
2. Häll av och skölj köttet. Ställ åt sidan.
3. Skala och finhacka lök och vitlök. Skala och skär morot, persiljerot och svartrot i 3–4 cm stora bitar.
4. Fräs lök och vitlök i 2 msk smör ca 2 minuter. Tillsätt vatten och fond, låt koka upp.
5. Tillsätt köttstrimlorna. Låt koka på svag värme under lock ca 30 minuter. Lägg i morot, persiljerot och svartrot. Fortsätt att koka tills köttet är mört, ca 30 minuter.
6. Tillsätt senap, messmör och crème fraiche. Koka upp och smaka av med salt och peppar. Tillsätt dragon och persilja i grytan.
7. Servera grytan med ett gott brytbröd och/eller pressad potatis. Garnera gärna med färsk dragon.

ÅSES VILDA KORV MED BLOMKÅLSMOS

Åse Andersson, Molkom: En korv med nytänk från en familj som jagar och lagar mycket mat tillsammans. Korven går bra att frysa, låt den i så fall tina i kylen över natten innan den tillagas.

Ger ca 20 korvar
600 g rådjursfärs (eller
   annan viltfärs)
10 meter krokfjälster
10 enbär, krossade
4 dl öl
2–3 potatisar (ca 250 g)
3 silverlökar
1 paket bacon (140 g)
700 g fläskfärs
1 1/2 tsk grovstött
   kryddpeppar
2 tsk grovstött
   svartpeppar
2 tsk malen nejlika
2 tsk mejram
lagerblad
vitpepparkorn
smör
salt, peppar
Blomkålsmos
1 kg blomkål
3 dl vispgrädde
1/2 tsk malen muskot

Gör så här:
1. Lägg fjälstren i kallt vatten ca 15 minuter. Spola igenom dem med kallt vatten några gånger.
2. Låt enbären dra i ölet ca 20 minuter.
3. Koka potatisen mjuk, med skalet på, i lättsaltat vatten. Häll av och låt ånga av. Skala och mosa den lätt med gaffel.
4. Skala och hacka löken. Skär baconet i bitar. Blanda detta med enbär, öl och potatis. Rör ner fläskfärs, kryddpeppar, svartpeppar, nejlika, mejram och 1 1/2 msk salt.
5. Mixa i omgångar i en matberedare. Blanda sedan till en jämn smet.
6. Trä upp krokfjälstret på korvhornet. Stoppa smeten i fjälster till 15–20 cm långa korvar. Bind om ändarna

på korvarna med bomullssnöre. Låt ligga i kylskåp 1 dygn så att smakerna mognar.
7. Lägg korvarna i en kastrull och fyll på med kallt vatten så det täcker. Tillsätt 1 lagerblad och 5–8 vitpepparkorn och låt sjuda ca 45 minuter.
8. **Mos:** Skär blomkålen i buketter och koka i grädden med 1 msk smör under lock tills de är mjuka.
9. Häll av grädden i en skål och mosa blomkålen i kastrullen med en stöt eller en gaffel. Häll tillbaka grädden och blanda till ett grovt mos. Vill du ha ett slätare mos så kör blomkål och grädde i en matberedare.
10. Krydda med muskot, 3/4 tsk salt och 1 krm peppar.
11. Stek ev korven och servera med moset, grovkornig senap och gärna stekt lök eller mjölksyrade grönsaker.

TIPS! SAKNAR DU KORVSTOPPARE?
Korven går också bra att göra i plastfolie. Lägg en klick korvsmet på ett ark plastfolie. Forma till en korv med blöta händer. Rulla ihop och vrid ändarna på folien (som en smällkaramell). Låt ligga 1 dygn i kylen. Ta bort plastfolien innan korvarna sjuds och följ sedan receptet i övrigt.

De va hett så di kunne steka sill på väggar

NÄRKE är lummigt och grönt. Här ligger den bördiga, uppodlade Närkeslätten med de blånande Kilsbergen i fjärran. Här finns rika trädgårdar och odlingslotter med bär och frukter.

Örebro är Närkes mittpunkt med sevärdheter som Örebro slott, Svartån som rinner genom staden och friluftsmuseet Wadköping. Gustavsvik är norra Europas största upplevelsebad. Många av närkingarna bor i just Örebro samt i städerna Hallsberg, Askersund och Kumla. Den sistnämnda var under storhetstiden, i mitten av 1900-talet, skostaden nummer ett med ett 60-tal skofabriker. Närke är också korsvägarnas land. I Örebro finns ett kors av Europavägar och i Hallsberg ligger en av Sveriges viktigaste järnvägsknutpunkter.

Närke är ett landskap präglat av det lilla, med många små företag. Det har varit ett handelslandskap med mycket genomresande och därför ingen tydlig egen matkaraktär. Maten har varit bondekulturens med mjölkredda grönsakssoppor och mjölmat, även om sjöar som Hjälmaren, Sottern och Kvismaren bjuder på både gös och abborre.

Närke är också domarringar, Håkan Nessers Kumla och Cajsa Wargs hemtrakter. Tivedens nationalpark och Fagertärn med de röda näckrosorna. Stenbrott och blåsippor som trivs i de kalkrika markerna.

»Skomakarnas landskap i en låda, kan det bli godare!«
Helena Ekberg

SKOMAKARLÅDA

Skomakarlåda är skivad oxfilé som serveras med stekta skinktärningar och potatismos i en liten form; en låda.

För 4 personer

4 skivor oxfilé eller utskuren biff (ca 500 g)	1 dl rött vin
800 g potatis (mjölig sort)	2 msk konc ox- eller kalvfond
2–3 dl mjölk	2 msk hackad persilja
1/2 paket bacon (70 g)	smör
	salt, peppar

Gör så här:

1. Skala och skär potatisen i mindre bitar. Koka den mjuk i lättsaltat vatten, ca 15 minuter. Häll av vattnet och mosa potatisen.

2. Värm mjölken. Blanda potatisen med varm mjölk (börja med den mindre mängden och tillsätt ev mer) och 2 msk smör och vispa det fluffigt.

3. Krydda med 1 tsk salt och 1 krm peppar. Ställ moset åt sidan och håll det varmt.

4. Strimla och knaperstek baconet. Låt rinna av på hushållspapper.

5. Stek biffarna 2–3 minuter på varje sida i 1 msk smör. Lyft upp dem och håll varma.

6. Häll vin och fond i stekpannan och vispa runt. Låt koka 1–2 minuter.

7. Lägg biffarna ovanpå potatismoset. Toppa med bacon blandat med persilja och lite skysås. Servera gärna med kokta grönsaker, tex morötter och haricots verts.

I skafferiet

Närke är ett bördigt landskap där den uppodlade Närkeslätten ger spannmål, grönsaker, rotfrukter och potatis. Och jordgubbar! I sjöarna finns abborre, gös och gädda och i skogarna vilt. Sylt, korv och Champis är klassiska Närkeprodukter som nu kompletteras med småskalig produktion av ost, lammkött och grönt.

KULTURBRYGD

Närke kulturbryggeri i Örebro bedriver småskalig hantverksmässig produktion av allt från ljus ale till svart porter och arbetar för just ett bredare och mer varierat ölutbud. Stormaktsportern är en av deras sorter liksom Närke mörker, »bryggd på pin kiv och jävlar anamma«.

1 000 LAMM

På Lekeberga gård föds ca 1 000 lamm om året, och affärsidén är att tillhandahålla färskt lammkött året runt. Slakten sker lokalt, och numera finns även förädlat lammkött som rökt fårfiol och lammkorv i deras gårdsbutik.

OSTBITEN I GRANHAMMAR

På lantbruket i Granhammar finns kor, får och angoragetter. Mjölken förädlas i mejeriet till ost, smör, fil och ostkaka. Cheddar, helmjölksost med kummin och kittostar är bara några av ostsorterna. I gårdsbutiken finns osten och annan lokalt producerad mat, och dessutom angoralammskinn och garn.

TOMATER

Karintorps tomater är ett familjeföretag i södra Närke. De använder inga kemiska bekämpningsmedel. Pollineringen sköter humlorna. Tomaterna säljs i butiker i området och på gården, men andrasorteringen förädlas bland annat till en tomatdressing som finns i 14 smaker, och tomatmarmelad som finns i sju, där calvados, choklad och ingefära sticker ut.

Visste du att ...

Ängamat är en redd grönsakssoppa med nyskördade, späda grönsaker som blomkål, morot och purjolök.

VARUBUSS

Bondens heter varubussen som åker runt i länet för att alla ska kunna få tag på områdets närproducerade ostar, kött, grönsaker, honung, sylt och annat.

GÅRDSKÖTT

På Hällebytorp gårdshandel säljs charolaiskött, pigghamfläsk från egna grisar som får gå ute och dovhjortskött från gårdens vilthägn. Djurens foder odlas på gården. Specialiteter är rökt hjortkött, hjortkorv och charolaiswurst.

Hjälmaregösen var den första insjöfisken i världen att bli MSC-certifierad.

Nya landskapsrätten

»Det är svårt att konkurrera med en så god rätt som skomakarlåda. Men här har vi en som lyckats. Lokalt naturbeteskött, och dessutom en köttdetalj från en nästan bortglömd del av djuret, bjuder på både modernitet och härliga smaker. Stormaktsportern från Närke kulturbryggeri och lokalt odlade ekologiska rotfrukter fullbordar anrättningen.«

STORMAKTSLÅDA

Högrev är ett framdelskött som blir mört och smakrikt vid långsam tillagning på låg temperatur. I den här varianten på klassisk skomakarlåda ger lokalt producerad porter mustig smak till både kött och sås.

För 4 personer

1 kg högrev i tjocka
  skivor
1 morot
1 gul lök
2 vitlöksklyftor
4 krossade enbär
3 dl Stormaktsporter eller
  annan porter
2 msk konc kalvfond
1/2 dl japansk soja
1 dl vispgrädde
1–2 msk svartvinbärsgelé
majsstärkelse (Maizena)
salt, vitpeppar

Mos

500 g potatis
500 g palsternacka
1 msk smör
2 dl mjölk
1 dl vispgrädde

Purjolöksfräs

10 cm purjolök
150 g varmrökt sidfläsk

Gör så här:

1. Sätt ugnen på 125°C.
2. Skala och skär moroten i 2–3 cm stora bitar. Skala och finhacka löken och vitlöken. Lägg ner grönsakerna i en ugnssäker kastrull eller gryta tillsammans med köttet, enbär, porter, kalvfond, soja och 1 dl vatten.
3. Ställ in i ugnen 3–6 timmar, tills köttet är riktigt mört. Vänd köttet i såsen någon gång under tillagningen.
4. **Mos:** Skala och skär potatis och palsternacka i mindre bitar. Koka dem mjuka i lättsaltat vatten, ca 15 minuter. Häll av och pressa potatis och palsternacka i potatispress. Rör ner smöret.
5. Värm mjölk och grädde. Vispa i gräddmjölken i moset och tillsätt 1 tsk salt och 2 krm peppar.
6. **Purjolöksfräs:** Ansa och skär purjolöken i strimlor. Skär sidfläsket i cm-stora tärningar och stek i 1 msk smör 3–5 minuter, tills de fått färg.
7. Tillsätt purjolöken och låt den fräsa med någon minut. Låt fläsk och purjolök rinna av på hushållspapper.
8. Ta upp köttet ur grytan när det är klart och rulla in i smörpapper, håll varmt.
9. Sila ner skyn i en kastrull. Red med majsstärkelse utrörd i grädden. Koka upp såsen och låt sjuda några minuter. Krydda med 1 krm salt och 1 krm peppar. Tillsätt svartvinbärsgelén.
10. Skär köttet i skivor, lägg det på moset, häll sås runt om och toppa med purjofräset.

FREDRIK KÄMPENBERG ÅLDER: 34 **FAMILJ:** Sonen Matteus, 6. Fredrik bor i Örebro men kommer från den lilla byn Rätan i Jämtland. Han arbetar som kökschef på en gymnasieskola och väljer ekologiskt och närodlat av alla råvaror som har stora volymer. Matlagningsintresset kommer från mamma, som han satt och putsade älgkött med som liten. Fredriks Stormaktslåda har sin grund i ölet Stormaktsporter från Närke kulturbryggeri. Han utgick från landskapsrätten skomakarlåda, som han är väldigt förtjust i, och gjorde om den. Tanken var att göra en riktigt god ölsås.

ROSMARINDOFTANDE RÖDBETSVÅFFLA MED FETAOST

Anita Markström, Örebro: Enkel men läcker förrätt med närproducerad rödbeta, ost och honung. Pepparrotshonungen kan med fördel blandas flera dagar i förväg.

För 4 personer
1 färsk rödbeta (ca 100 g)
2 msk riven pepparrot
3 msk flytande honung
50 g smör
2 ägg
1 1/2 dl vetemjöl
1/2 dl grahamsmjöl
1 tsk bakpulver
2 1/2 dl mjölk
1 msk finhackad
  rosmarin
1 tsk rörsocker
150 g fetaost, t ex Gran-
  hammar salladsost
1/2 påse rucola (35 g)
smör

Gör så här:
1. Blanda pepparroten med honungen.
2. Skala och riv rödbetan grovt. Smält smöret. Skilj äggulor och vitor. Vispa vitorna hårt och ställ kallt. Blanda båda mjölsorterna med bakpulvret.
3. Vispa ihop äggulor och mjölk. Blanda i mjölblandningen, rödbeta, rosmarin, smält smör och socker.

4. Vänd försiktigt ner de vispade äggvitorna.
5. Grädda våfflor i smörat våffeljärn. Skär dem i hjärtan eller mindre bitar.
6. Skär osten i tärningar.
7. Servera våfflan med rucola och tärnad ost. Ringla över lite av pepparrotshonungen.

HJÄLMAREGÖS MED NÄRKERÖRA

Ellen Molin, Örebro: En klassiskt god röra till den mjälla fiskfilén.
Svensk husmanskost när den är som bäst.

För 4 personer
600 g gösfilé med skinn
1/2–1 dl rågmjöl
smör
salt, peppar
dillvippor till garnering
Närkeröra
800 g potatis (fast sort)
2 ägg
1 rödlök
1 burk ansjovisfiléer (125 g)
1 dl finskuren dill
2 msk gräddfil
2 dl crème fraiche

Gör så här:
1. Börja med närkeröran. Skala och skär
potatisen i 1–2 cm stora tärningar. Koka
dem mjuka i lättsaltat vatten, ca 10
minuter. Häll av och låt svalna.
2. Lägg ner äggen i kallt vatten. Koka
upp och sjud ca 5 minuter. Kyl snabbt.
Skala och finhacka löken. Skär ansjovi-
sen i bitar.
3. Blanda potatis, lök, ansjovis, dill,
gräddfil och crème fraiche i en skål.
4. Skala och skär äggen i bitar. Vänd ner
försiktigt. Tillsätt 1/2 tsk salt och 1 krm
peppar.
5. Vänd fiskfiléerna i mjölet.
6. Smält 2 msk smör i en stekpanna tills
det fått ljusbrun färg. Stek gösfiléerna
2–3 minuter på varje sida. Krydda med
salt och peppar.
7. Servera fisken med röran och garnera
med en dillvippa. Knäckebröd med en
smakrik ost är gott till.

Nu skä ni äta riktit för dä ä sô väl unt

VÄSTMANLAND har flera naturtyper och olika klimat. De södra delarna bjuder på ett varmare mälarklimat med bördig jordbruksbygd, rådjur och vildgäss. Landskapet har till och med kallats huvudstadens visthusbod. Ängarna i söder avtar sakta och blir till skogshöjder och sjöar som övergår i norrlandsterrängens skogsrika moränlandskap, med myrområden som närmar sig vildmark. Här finns både älg och björn. Dalälven bildar en naturlig gräns mot Dalarna och Gästrikland.

Västmanlänningarna var kanske först i Norden med att framställa järn av den röda jorden för över 2 000 år sedan, vilket fortsatte ända in i modern tid, med kolmilor, bergsbruk och Sala silvergruva som kronan på verket.

Lika randigt som mors förkläde, tyckte Nils Holgersson om Västmanland med dess åar och åsar, kanaler, vägar och järnvägar. Västmanland är också Skultuna messingsbruk, gurkstan Västerås, brunnsorter och Elsa Anderssons konditori i Norberg.

För att inte tala om Grythyttan i väster där Carl Jan Granqvist har lyckats bygga ett av världens främsta kulinariska centra med utbildning inom det mesta som rör mat och måltider. Där finns också Kokboksmuseet och Måltidens hus.

»Den lena mälargösen tillsammans med den skarpa pepparroten speglar Västmanlands karaktär perfekt – kontrasten mellan böljande Mälardalen och vilda Bergslagen.«

Margareta Stigenberg

MÄLARGÖS MED PEPPARROT

Gösen är eftertraktad av sportfiskare, och Västmanland med sina sjöar ger många chanser att få napp. Den är en av de mest välsmakande fiskarna och har ett fast, magert vitt kött. Pepparroten har kommit från landskap runt omkring som varit kända för sin pepparrotsodling.

För 4 personer
700 g skinn- och benfri gösfilé
3 msk vatten
3 msk färskpressad citronjuice
2 1/2 dl vispgrädde
1/2–1 dl finriven pepparrot
salt, peppar

Gör så här:
1. Salta och peppra fisken. Häll vatten och citronjuice i en stekpanna med höga kanter. Lägg i fisken och sjud under lock 5–10 minuter, tills fisken är färdig.
2. Lyft upp fisken och varmhåll. Tillsätt grädden i fiskspadet och koka ihop 5–10 minuter.

3. Smaka av med salt och peppar. Lägg tillbaka fisken i stekpannan. Strö över finriven pepparrot.
Servera med pressad potatis och citronklyftor. Garnera med dillvippor.

I skafferiet

Västmanland står i startgroparna för lokal produktion. Förutsättningarna finns verkligen i detta kontrasternas landskap. Nu behövs bara självförtroendet att förädla landskapets alla grönsaker och bär, all fisk, allt vilt och alla grödor.

BARA BLÅBÄR

100 % blåbär är en dryck som är vad den heter. 33 cl dryck innehåller saften från 2300 bär, och inget annat. Eftersom den är rik på syror och tanniner passar den perfekt som alternativ till rödvin. Blåbären plockas i skogarna runt Saxhytte gård, där bergsmanssläkten Agorelius bott sedan 1648.

SJU BÖNDER

Gröna hagar är sju bönder som samarbetar för en köttproduktion som är ekologisk, klimatvänlig och hållbar. Dessutom Kravmärkt. De ger sina djur ekologiskt foder som odlats på gården och hanterar själva sina djur från kalvning till slakt.

ÄNGSÖ FISK

Per Vidlund har fiskat sedan barnsben och är sjätte generationen yrkesfiskare i Mälaren. Han fiskar gös, ål, gädda och abborre, och i hans gårdsbutik i Ängsö utanför Västerås finns både färsk och rökt fisk. Per arbetar mycket med vård av fiskbeståndet och säger att med rätt åtgärder har insjöfisket i Sverige en ljus framtid.

FÅROST

Osten Bredsjö blå görs av fårmjölk med roquefortmögel och beskrivs av Carl Jan Granqvist som krämig och smakrik med touch av konverterad sommaräng. Idag görs ca 4 ton ost per år i Bredsjö.

FJÄLLKOR

På Wernergården i Karbenning har Birgit nio båsplatser till sina fina fjällkor. Hon har gjort ost sedan 2004, och just nu experimenterar hon med en hårdost som hon lagrar nere i Sala silvergruva. Osten har smak av både citrus och kola, sägs det. Hennes egen favorit är en brie som heter Krona, men hon gör allt från färskost till fetaost.

GLAD BONDE

Kärrbo prästgård drivs utifrån kunskapen om naturens mångfald. Gotlandsfåren och korna går ute så mycket det går, helt utan kraftfoder, och djuren gödslar vallarna naturligt. Alla resurser används, och i gårdsbutiken kan man köpa allt från lammkött och lammskinn till grönsaker och bröd bakat på gårdens säd.

Visste du att...

Lokal Mat i Svartådalen vann titeln Årets landsbygdsprojekt 2009. Projektet handlar om att utveckla förutsättningar för lokal mat, exempelvis ekologisk odling av grönsaker.

TJÄLKNÖL PÅ RÅDJUR MED POTATISGRATÄNG À LA BREDSJÖ

Tjälknöl måste inte göras på fryst kött. Med färsk stek kan man börja på punkt 2. Sätt in köttermometern och låt köttet lagas i 75°C ugnsvärme till 65–70°C innertemperatur. Följ sedan resten av receptet.

För 6 personer
ca 1 kg rådjursstek (fryst)
8 dl vatten
1 dl salt
2 msk socker
ca 400 g trattkantareller
smör, olja
salt, peppar
ev torkade blåbär till
　garnering
Sås
3 schalottenlökar
2 selleristjälkar
2 tsk tomatpuré
4 dl vatten + 3 msk konc
　kalvfond
3 dl Grythyttans jaktvin
　eller ett fruktigt och
　bärigt rött vin
1/2 tsk timjan
Potatisgratäng
1 1/4 kg potatis
　(mjölig sort)
2 dl mjölk
3 dl vispgrädde
200 g Bredsjö blå eller
　roquefortost

Gör så här:
1. Sätt ugnen på 75°C. Lägg steken otinad i en ugnssäker form. Ställ in formen i nedre delen av ugnen 6–12 timmar.
2. Sätt in en köttermometer i den tjockaste delen efter 2–3 timmar. Låt stå i ugnen tills innertemperaturen är 65–70°C. Det tar 6–12 timmar.
3. Koka upp vatten, salt och socker tills det har lösts upp. Låt kallna. Lägg det varma köttet i en bunke och häll över saltlaken så att det täcker. Låt stå kallt 4–5 timmar.
4. **Sås:** Skala och hacka löken. Skär sellerin i strimlor. Fräs lök och selleri i 2 msk smör på svag värme ca 5 minuter, tills löken fått lite färg.
5. Tillsätt tomatpuré, vatten, fond och vin. Låt koka ca 5 minuter.
6. Sila såsen genom en finmaskig sil. Låt såsen koka ner till 1/3 på svag värme. Tillsätt timjan och krydda med 1/2 tsk salt och 1/2 krm peppar. Ställ åt sidan.

7. **Potatisgratäng:** Sätt ugnen på 200°C. Skala och skär potatisen i 1/2 cm tjocka skivor. Koka upp mjölk, grädde och 2 msk smör med 3/4 av osten. Lägg i potatis och låt sjuda ca 8 minuter.
8. Krydda med 1 1/2 tsk salt och 2 krm peppar.
9. Häll allt i en smord ugnssäker form, eller portionsformar, och fördela resten av osten över. Ställ in mitt i ugnen ca 30 minuter, täck ev med aluminiumfolie mot slutet.
10. Fräs kantarellerna i en stekpanna tills all vätska kokat bort. Tillsätt 2 msk smör och fortsätt att fräsa några minuter. Salta och peppra.
11. Ta upp köttet och torka av det. Skär i tunna skivor. Värm såsen.
12. Lägg upp köttet på ett fat och häll över lite av såsen. Servera med potatisgratäng, resten av såsen och smörfrästa kantareller. Garnera ev med torkade blåbär. Rårörda lingon eller lingonchutney (se recept på sidan 197) är gott till.

DARIUSH MAJIDI ÅLDER: 27 **FAMILJ:** Föräldrar, syskon och flickvän.
Dariush läser hotellprogrammet på Grythytte akademi i Västmanland men kommer egentligen från Skåne. Han har bland annat arbetat som servitör, och matintresset är stort. Det är helt enkelt en del av vardagen, och i studentkorridoren förekommer inga studentnudlar eller färdigrätter utan det är riktig, god mat varje dag. Korridorskompisarna Patrik och Christian samt flickvännen Anna var med och skapade vinnarrätten. Den blev till av det som fanns hemma: viltkött, lingon och trattkantareller och den lokala osten Bredsjö blå.

Nya landskapsrätten

»Västmanländska skogssmaker som uttrycker viktiga delar i landskapets själ och hjärta. Här samsas landskapsingredienserna rådjursstek och trattkantareller med den unika Bredsjö blå-osten och Grythyttans jaktvin – allt i skön harmoni...«

FÄRSBIFFAR AV RÅDJUR MED ROTFRUKTSMOS OCH APELSINSKYSÅS

Erika Varga-Persson, Västerås: En spännande rätt på landskapsdjuret med kanel och apelsin.

För 4 personer
400 g rådjursfärs
200 g fläskfärs
1 liten gul lök
1 vitlöksklyfta
1/2 tsk finrivet
  apelsinskal
1 ägg
1 dl vispgrädde
2 krm citronpeppar
2 msk potatismjöl
smör
salt, peppar

Mos
600 g mandelpotatis
3 morötter
1 palsternacka
50 g smör
1–2 dl varm mjölk
1 krm kanel

Skysås
1 1/2 dl färskpressad
  apelsinjuice
1 msk honung
1 dl vitt vin
1 1/2 dl vatten + 1 1/2
  msk konc viltfond
1 tsk majsstärkelse
  (Maizena)
strimlat apelsinskal

Gör så här:
1. Sätt ugnen på 125°C.
2. Skala och finhacka lök och vitlök. Blanda färs, lök, vitlök, apelsinskal, ägg, grädde, citronpeppar, potatismjöl och 1 tsk salt. Låt blandningen stå ca 5 minuter.
3. Forma biffar och stek ca 2 minuter på varje sida i 2 msk smör. Lägg över i en ugnssäker form och ställ in i ugnen ca 15 minuter.
4. **Mos:** Skala och skär potatis, morötter och palsternacka i bitar. Koka mjuka i lättsaltat vatten.
5. Häll av och tillsätt smör och mjölk. Vispa moset luftigt, gärna med elvisp. Tillsätt kanel och smaka av med 1 1/2 tsk salt och 1 1/2 krm peppar.
6. **Skysås:** Blanda apelsinjuice med honung i en kastrull. Tillsätt vin, vatten + fond och 1 krm salt. Låt koka ner till cirka hälften.
7. Red av med majsstärkelsen utrörd i lite kallt vatten. Låt sjuda ca 2 minuter.
8. Vispa ner 1 msk smör och apelsinstrimlor precis före servering. Servera färsbiffarna med mos, skysås och gärna lättstekt salladslök till.

MÄLARGÖS MED KOKT POTATIS OCH KRÄMIG GURKSALLAD

Emmy Appelfeldt, Lund: Den lokala mälargösen får en förstärkt västmanländsk touch av salladen, som är gjord på västeråsgurka. En mycket lättlagad rätt.

För 4 personer
600 g skinn- och benfri
  gösfilé
2 krm stött rosépeppar
25 g kallt smör
salt, peppar
dillvippor, rosépeppar

Gurksallad
3 västeråsgurkor
  (eller saltgurkor)
1 rödlök
2–3 msk kapris
2 dl crème fraiche
1 tsk dijonsenap

Gör så här:
1. Sätt ugnen på 100°C. Krydda gösen med rosépeppar, 1/2 tsk salt och 1 krm peppar.
2. Lägg fisken i en ugnssäker form. Hyvla smör över.
3. Ställ in i ugnen tills fisken är färdig, ca 45 minuter.
4. **Gurksallad:** Skala och finhacka rödlöken. Skär gurkan i bitar och blanda med rödlök och kapris. Rör ner crème fraiche, senap, 2 krm salt och 2 krm peppar.
5. Garnera fisken med dill och lite stött rosépeppar. Servera med kokt färskpotatis och gärna en citronklyfta.

117

De änte så fali om dem, för di har potatis å strömming å mjölktårn

SÖDERMANLAND har rika bondgårdar, välskötta skogar och bördig åkermark. Men här finns också ängar och sjöar, och landskapet är rikt på fornlämningar. Stockholms södra skärgård med tusentals öar tillhör Sörmland, och längs kusten har det i alla tider fiskats strömming. Braxen, gädda, ål och abborre fiskas i Mälaren och insjöarna.

Här ligger Harpsund, där landets statsminister kan rekreera sig, och byggnader som Taxinge och Häringe slott omgivna av ekhagar och små sjöar. På herrgårdarna fanns idel ädel adel som ville bo på landet men nära staden. De södra delarna av Stockholm är också Sörmland.

I skogarna finns rådjur och vildsvin, och ett rikt fågelliv. På Öster Malma ligger Svenska jägareförbundets kansli, och i landskapet bedrivs såväl stor- som småviltsjakt.

De böljande åkrarna ger stora mängder spannmål, och i landskapet ligger Saltå kvarn och lilla Warbro kvarn, som bland annat odlar dinkel och stenmaler sitt mjöl. Sörmland är också bondbönor och rabarber, smultron med gräddmjölk och åkeröäpplet från herrgården med samma namn.

»Sorundatårta bakad med en lång tradition, testa en bit och du får en smaksensation.«
Agneta Wahlgren

SORUNDATÅRTA

Denna mördegstårta med äppel- eller plommonmos som har anor från 1800-talet serveras till efterrätt, vid bröllop, dop och begravningar. Den bakas och dekoreras olika beroende på högtid och bagare och stammar från Sorunda socken söder om Stockholm.

Ger 12–14 bitar
250 g smör (rumsvarmt)
1 dl socker
1 ägg
6 dl vetemjöl
4 dl plommon- eller äppelmos

Gör så här:
1. Rör ihop smör med socker. Rör ner ägget och sedan mjölet. Arbeta snabbt ihop till en deg. Platta ut degen lätt och slå in i plastfolie. Låt ligga i kylskåpet minst 1 timme.
2. Sätt ugnen på 175°C. Ta undan ca 1/6 av degen. Skär resten av degen i 3 delar. Mjöla dem lätt och kavla ut varje del direkt på ett bakplåtspapper. Sporra eller skär ut rundlar, ca 24 cm i diameter. Använd gärna en tallrik som mått. Spara degen som blir över.

3. Grädda bottnarna en och en 7–10 minuter mitt i ugnen. Låt bottnarna kallna innan de flyttas.
4. Kavla ut den återstående degen på mjölat underlag. Baka ut valfritt mönster, anpassa garneringen efter tillfället. Grädda mitt i ugnen 6–8 minuter.
5. Lägg ihop bottnarna med mos emellan. Bre ut mos på den översta och lägg på garneringen. Servera med vispad grädde.

I skafferiet

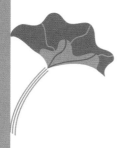

Sörmland har haft svårt att samla sig kring en matkulturell identitet, men det är det många som vill ändra på nu. Och det borde inte vara svårt med sådana matrikedomar som finns här; vilt, fisk, svamp, bär, spannmål, äpplen och till och med druvor.

JÜRSS MEJERI

Jürss är ett litet mejeri i Flen som gör exklusiva ostar av mjölk från lokala producenter; blåmögelosten Sörmlands ädel, kittosten Änglunda och granbarksosten, som de är ensamma om att göra. Den senare värms i ugnen och äts som fondue.

ATT DRICKA

Gripsholm destilleri invid Åkers herrgård ligger i en gammal stallbyggnad från 1800-talet. Där görs vodka helt ekologiskt och närodlat. På Tärnö säteri görs både det prisbelönta ölet Nils Oscar och vodkan med samma namn.

SÖRMLÄNDSKT EISWEIN

På Blaxsta vingård finns drygt 5 500 vinstockar. 90 procent är druvan vidal blanc, som blir till det berömda isvinet där druvorna plockas och pressas i fryst tillstånd. I vin-VM 2007 blev det brons för gårdens isvin. Kommande nyheter är nypon- och rosenkvitten-isvin. Gården har också en exklusiv restaurang.

JULITA GÅRD

Julita gård är ett frilufts-museum som ingår i Nordiska museet. I lant-bruksområdet finns en utställning om landskaps-mat och en traktorut-ställning! Det finns också växthus med trädgårds-butik, och i Julitaboden finns ett sortiment med småskaliga producenter. I en av de många vackra parkerna finns över 300 olika äppelträd, som fungerar som en genbank för att bevara äldre mellan-svenska äppelsorter.

Visste du att...

Under rabarberfestivalen vecka 21 ordnas marknad, gårdskaféer och tävling om Sörmlands godaste rabarberpaj.

STRUTSFARM

Ett 100-tal ståtliga strutsar lever på Stigtomta strutsfarm. Där tillverkas kött- och charkprodukter, som den kända strutspas-tramin som vunnit pris. Allt på strutsen tas tillvara, även skinnet, och fettet blir till salvor av olika slag. Äggen blir förstås nya strutskyck-lingar, men de som blir över är till salu.

JULITA RAPSOLJA

Rapsolja har pressats och tappats på Julita gård i snart tjugo år. Det lokalodlade vårrapsfröet kallpressas utan tillsatser, och oljan har en naturlig nötdoft.

HELSTEKT STRUTSBIFF MED ROTFRUKTER

Det mörka fågelköttet är mört och smakrikt. Passar bra med rotfrukter och äppelsås.

För 4 personer
800 g strutsbiff i bit
3 msk finhackad
  rosmarin
150 g sockerärter
1 äpple
smör
salt, flingsalt
svartpeppar
Rotfrukter
400 g sparrispotatis
200 g rotselleri
2 palsternackor
2 morötter
Sås
4 msk äppelgelé
2 dl vatten
2 dl färskpressad
  äppeljuice
4 msk konc oxfond
2 tsk soja

Gör så här:
1. Sätt ugnen på 125°C.
2. Blanda rosmarinen med 1 tsk salt och 2 krm peppar. Klappa in köttet med kryddblandningen.
3. Stek strutsbiffen runt om i 1 msk smör i en stekpanna på hög värme ca 5 minuter, tills den fått fin färg. Lägg köttet i en ugnssäker form. Ställ undan stekpannan och spara skyn.
4. Stick in en köttermometer i den tjockaste delen av köttet. Ställ in i ugnen och stek tills köttets innertemperatur är 62°C, det tar ca 1 timme.
5. **Rotfrukter:** Skala och skär potatis och rotfrukter i ca 1 1/2 cm stora bitar. Fräs dem i 1 msk smör i en stekpanna tills de blivit mjuka och fått lite färg. Lägg i en ugnssäker form och ställ åt sidan.
6. **Sås:** Späd skyn i stekpannan med vattnet. Häll i gelé, juice, fond och soja. Koka tills cirka hälften återstår. Smaka av med 1/2 tsk salt.
7. Ta ut köttet. Linda in i smörpapper och låt vila 10–15 minuter.
8. Ställ in rotfrukterna i ugnen och låt dem bli varma.
9. Fräs sockerärterna i 1 msk smör 1–2 minuter, de ska vara knapriga. Strö över 1 tsk flingsalt.
10. Dela, kärna ur och skär äpplet i tärningar. Skär köttet i 1 1/2 cm tjocka skivor och servera med rotfrukterna, skysåsen, äppeltärningarna och sockerärterna. Garnera gärna med bladpersilja.

KRISTINA NILSSON ÅLDER: 33 **FAMILJ:** Sambon Matthias Ericsson, 36, som hon skapade rätten tillsammans med. Kristina bor i Nyköping, läser på folkhögskola och jobbar extra inom hemtjänsten. Hon försöker hinna träna och träffa kompisar när hon inte pluggar, och på helgerna brukar hon och Matthias ofta laga god mat och dricka något gott vin. Rätten med helstekt strutsfilé och rotfruktskompott spånade de fram tillsammans. De utgick ifrån sörmländska råvaror och Matthias gav sig ut på en köpraid där han fick tag på äppelgelé och struts, och sedan gav det ena det andra.

Nya landskapsrätten

»Strutsen gör härmed på allvar sitt intåg i det sörmländska köket. I sällskap med traditionella rotfrukter och modern äppelsky blir det en utsökt landskapsrätt. Och säkert ett trevligt samtalsämne vid matbordet.«

RABARBERMARÄNG MED MANDEL

Bo & Gunnel Hallgren, Katrineholm: Sörmland är känt för sin rabarber. Här kombineras den med en enkel mandelbiskvibotten och ett vackert marängtäcke.

För 4 personer
750 g rabarber
1 dl socker
2 msk vatten
1 msk potatismjöl
3 msk mandelspån
Botten
150 g mandelbiskvier
50 g smör (rumsvarmt)
Maräng
2 äggvitor
4 msk socker

Gör så här:
1. Sätt ugnen på 175°C. Mixa biskvierna i matberedare med smöret till en smulig deg. Tryck ut degen på bottnen i en pajform, ca 25 cm i diameter, eller i 4 ugnssäkra portionsformar. Förgrädda ca 5 minuter i ugnen.
2. Skär rabarbern i bitar. Blanda med socker och vatten i en kastrull. Koka upp och låt sjuda ett par minuter.
3. Rör ut potatismjölet i lite kallt vatten och rör ner i rabarbern. Koka upp och ta från värmen. Låt svalna något.
4. Häll blandningen i formen/formarna.

Grädda i ugnen ca 10 minuter. Ta ut formen och höj ugnsvärmen till 225°C.
5. Vispa äggvitorna till ett fast skum. Tillsätt socker och vispa tills smeten blir blank och fast.
6. Bre eller spritsa marängsmeten över rabarbern och strö över mandelspån.
7. Ställ in i ugnen 4–6 minuter, tills marängen fått fin färg.
Servera rabarbermarängen ljummen. Vaniljglass och ett glas eiswein från Blaxsta passar bra till.

OSTFYLLD STRÖMMING MED RÖDBETOR

Andreas Johansson, Stockholm: Nyskapande rätt som visar hur fantastiskt Sörmland är. Strömming från Trosa, ost från Järna och rödbetor från Flen.

För 4 personer
600 g strömmingsfilé
100 g lagrad ost
3 äpplen (ca 300 g)
1 dl grovt rågmjöl
500 g rödbetor
1 msk farinsocker
smör
salt, flingsalt, peppar
Dill- och citronolja
1 1/2 dl kallpressad
 rapsolja
rivet skal av 1 citron + 2
 msk färskpressad juice
1 dl finskuren dill

Gör så här:
1. Riv ost och äpplen grovt.
2. Lägg ut hälften av strömmingsfiléerna. Fördela ost och rivet äpple på dem. Lägg över resten av filéerna. Vänd strömmingarna i rågmjölet. Ställ åt sidan.
3. Koka rödbetorna mjuka i lättsaltat vatten, ca 30 minuter.
4. Häll av rödbetorna och gnid av skalet under rinnande kallt vatten. Låt svalna och skär dem i klyftor.
5. Stek rödbetorna i 2 msk smör ca 2 minuter. Tillsätt farinsocker och stek ytterligare ca 3 minuter så att de får en karamelliserad yta.
6. **Dill- och citronolja:** Värm rapsoljan till ca 45°C och blanda med citronskal + juice och dill.
7. Stek strömmingen i smör i en stekpanna ca 3 minuter på varje sida. Salta och peppra under stekningen.
8. Servera strömmingen med rödbetorna. Ringla över dill- och citronoljan. Kokt färskpotatis eller en risotto på korngryn passar bra till (se recept på sid 157).

Den som inte vill soppan supa, får inte heller äta köttet

UPPLAND är präglat av Mälardalens varierade natur, rörliga historia och sociala skiktning. Det är Sveriges folkrikaste landskap med både staden Uppsala, halva Stockholm och landsbygden som sträcker sig hela vägen upp mot Gävle. Här finns kusttrakter med lax- och strömmingsfiske och bördig jordbruksbygd på slätterna runt Uppsala.

I Uppsala invigdes det första universitetet, och Linné är väl dess mest berömda professor, med bland annat Linnéträdgården som minnesmärke. I staden kröntes också kungar; den svenska makteliten har alltid varit stark i landskapet. Uppland betyder också studenter och vallonbruk, imponerande gårdar och en fågelrik skärgård. Men även runstenar från vikingatiden, handelsstaden Birka, slott och herresäten.

Roslagen är ett kapitel för sig med över 13 000 öar och flera pittoreska skärgårdssamhällen. Där ligger bland annat Vaxholm, Norrtälje och Östhammar. På Gräsö, utanför Öregrund, finns flera naturreservat. Där, liksom på många andra platser längs Upplandskusten, växer vild havtorn.

I Uppland finns ingen tydlig landskapsmat eller landskapsrätt. Förutsättningarna har sett väldigt olika ut i landskapet, med stora skillnader mellan stad och landsbygd.

> »Ångbåtsbiff väcker barndomsminnen. Ångbåtsresan Stockholm–Blidö. Doften av havsluft, kokseld, biff med lök.«
> *Ulla Wellenius*

ÅNGBÅTSBIFF

Ångbåtsbiffen är en variant av klassikern stekt biff med lök. Den serveras med kokt potatis och stekt lök i sky. För att laga den på gammaldags vis behövs en ångbåt och en varm plåt från ångpannan. Men en väl instekt gjutjärnspanna är en fullgod ersättning.

För 4 personer
4 skivor utskuren biff (à 150 g)
3–4 rödlökar
1 köttbuljongtärning
2 msk hackad persilja
smör
salt, vitpeppar

Gör så här:
1. Skala löken och skär den i hela, inte för tunna ringar.
2. Stek löken på medelvärme i 1 msk smör ca 5 minuter, tills den är glansig och lätt brynt.
3. Häll på 2 dl vatten och smula ner buljongtärningen. Låt koka ihop 4–5 minuter.

4. Krydda biffarna med salt och peppar på båda sidor. Stek biffarna 3–4 minuter på varje sida i 2 msk smör.
5. Koka upp löken och skeda den över biffarna. Strö hackad persilja över och servera med kokt potatis.

I skafferiet

Oavsett om man beskriver slättlandskapet runt Uppsala som bördigt och vackert eller som en lerig åker har det gett stora ytor för spannmålsodling. Till det kommer skärgården i öster och mälarkusten som gett fisk, inlandets nöt- och grisproducenter och ostmakare, med löpeostar i syd och surmjölksostar i norr. Och den nyfunna framåtandan bland lokala producenter.

SKÄRGÅRDSSMÖR

Väddö gårdsmejeri i Roslagen gör ostar, filmjölk, yoghurt och smör av mjölken från de 80 korna, som föds upp ekologiskt. Vill man träffa korna kan man åka på kosafari med bondens traktor. Deras skärgårdssmör med havssalt har blivit ett måste för konnässörer.

UPPLANDSKUBB

Upplandskubben har anor från 1800-talet men har börjat bakas igen. Det är ett av få kokta bröd. Degen får jäsa i en högsmal emaljhink som sedan sänks ner i vattenbad i några timmar, i stället för att gräddas i ugnen. Upplandskubben görs av Triller mat och bröd i Bergsbrunna.

HAVTORN

Det var i Uppland som Linné upptäckte havtornet, som han tyckte var syrligt men välsmakande. Idag odlas och förädlas bäret på Mårtensboda gård på Gräsö utanför Öregrund, och där finns också självplock. Syltkrukan i Månkarbo förädlar också havtorn till sylt och saft.

VASST BRÄNNERI

Norrtelje brenneri ligger på en gård som drivs i femte generationen strax utanför Norrtälje. Råvarorna kommer från Roslagen eller dess närhet, och i den ångdrivna kopparpannan skapas allt från Roslagspunschen gjord på eko-plommon till Roslags päronavec.

KRYDDOR

På Ekerö odlar Orto Novo örtkryddor, olika sorters sallad, chilifrukt och tomater. Och allt från kanelbasilika till ängssyra. Idag blir fler och fler sorter Kravmärkta.

SKEBO

Skebo herrgård är ett nav för ekologiskt och närproducerat. Skebo kött levererar kött från hjort i hägn, nöt, kalv och lamm. Tillsammans med Sveriges lantbruksuniversitet försöker de avla fram en skebogris, som ska lämpa sig för lufttorkning, en uppländsk variant på den spanska pata negran. I närheten ligger Skebo bruksbryggeri, som brygger ölet till middagen.

Visste du att...

I Mälaren finns det 35 olika fiskarter.

Nya landskapsrätten

»En spännande symfoni med 'tuffa' smaker. Den sirapslena, lätt kryddiga upplandskubben mixas till ett gott krisp som här samsas med syrlig havtorn, mjälla bondbönor och en spänstig gös på ett modernt och lite utmanande sätt.«

MÄLARGÖS MED BONDBÖNOR OCH UPPLANDSKUBBSKRISP

Mälargös och bondbönor, upplandskubb och havtorn är goda ingredienser från det lokala skafferiet som blir till en elegant landskapsrätt.

För 4 personer
600 g benfri gösfilé
   med skinn
3 skivor upplandskubb
   eller kavring
50 g smör
4 msk havtorns-
   marmelad
1 tsk ättiksprit (12 %)
2 tsk konc kycklingfond
2 msk vatten
4 msk finskuren gräslök
200 g bondbönor
   (uttagna ur baljorna)
kallpressad rapsolja
olja, smör
salt, peppar
ev havtorn till garnering

Gör så här:
1. Kör brödskivorna i en matberedare till grova smulor. Stek i smöret 2–3 minuter. Låt rinna av på hushålls-papper.
2. Blanda havtornsmarmelad, ättika, kycklingfond, vatten, gräslök, 4 msk kallpressad rapsolja och 1/2 krm salt.
3. Koka bönorna i lättsaltat vatten 2–4 minuter, de ska vara mjuka men med kärna kvar. Spola i kallt vatten och skala försiktigt genom att nypa av en öppning och trycka ut bönan.
4. Stek gösen i het och lättoljad stekpanna 2–3 minuter på varje sida. Krydda med salt och peppar.
5. Lägg upp fisken på tallrik och strö över bondbönor och brödkrisp. Ringla över dressingen och servera gärna med pressad potatis. Garnera ev med havtorn.

ANNELIE MANNERTORN ÅLDER: 47 **FAMILJ:** Maken Torsten och barnen Alexander, 9, och August, 7.
Annelie bor inne i stan i Stockholm och har landställe i Ekolsund, så hon är en klar upplänning. Hon arbetar på näringsdepartementet, men på ledig tid lagar hon mycket mat. Hon har ett livligt matintresse och provar gärna nya kryddor, uppläggningar och smaker. Hon kommer från en bagarsläkt och har bakat ända sedan hon var liten. Hennes rätt kom till som en självklarhet. Annelie älskar upplandskubb och ville göra något mer än en macka med den. Och eftersom hon är så förtjust i mälargös kändes resten enkelt.

HICKORYDOFTANDE FLÄSK MED ÄPPELKOMPOTT

Fredrik Ekblom, Jönköping: Klassisk rätt med nyanser av en annan tid och kontinent. Tufft och smakrikt fläsk med frisk äppelkompott och en len puré.

För 4 personer
600 g rimmat fläsk
  (i skivor)
1 1/2 msk liquid smoke
  (hickory rökextrakt)
1 dl vatten
smör, salt, vitpeppar

Äppelkompott
2 syrliga äpplen
1–2 salladslökar
1 msk riven pepparrot
2 msk ättiksprit (12 %)
3/4 dl vatten
4 msk flytande honung
1 dl hackad persilja

Puré
600 g potatis (mjölig sort)
600 g jordärtskocka
1/2 dl vispgrädde
1/2 dl mjölk
50 g smör

Gör så här:
1. Lägg fläsket i dubbla plastpåsar. Blanda liquid smoke med vatten och häll över fläsket i påsen. Knyt ihop och låt marinera i kylskåp ca 4 timmar.
2. Sätt ugnen på 125°C. Ta upp fläsket ur marinaden, låt rinna av. Stek i omgångar i olja i en stekpanna. Lägg det i en ugnssäker form och varmhåll i ugnen.
3. **Äppelkompott:** Skala, kärna ur och skär äpplena i små tärningar. Skär salladslöken i strimlor. Blanda med pepparrot, ättika, vatten och honung. Täck över och ställ i kylen.
4. **Puré:** Skala och skär potatisen och jordärtskockorna i mindre bitar. Koka dem mjuka i lättsaltat vatten.
5. Värm grädden och mjölken.
6. Häll av potatisen och jordärtskockorna och låt ånga av. Mosa dem med en gaffel eller potatisstöt.
7. Blanda i den varma gräddmjölken och smöret. Krydda med 1 tsk salt och 2 krm peppar.
8. Rör ner hälften av persiljan i äppelkompotten.
Servera fläsket med purén och kompotten. Garnera med resten av persiljan.

TIPS! **SIDFLÄSKFRÄS**
Koka 50 g bondbönor (uttagna ur baljorna)
mjuka i lättsaltat vatten 2–4 minuter. Häll av
och kyl i kallt vatten. Tryck sedan ut bönorna
ur hinnan. Skär 200 g varmrökt sidfläsk i
små tärningar. Bryn det knaprigt i en stek-
panna. Tillsätt bönor och en klick smör och
stek ytterligare någon minut. Ta från värmen
och låt rinna av på hushållspapper. Blanda i
1/2 dl plockad dill.

DILL- OCH BONDBÖNSSOPPA MED PEPPARROTSCRÈME

Jessica Ekengren, Örsundsbro: Mer uppländskt än så här blir det inte.
Bondbönor, fläsk och pepparrot samsas i en matig soppa.

För 6 personer (förrätt)
200 g bondbönor (ut-
tagna ur baljorna)
2 schalottenlökar
1 vitlöksklyfta
1/2 citron
6 dl vatten + 1 1/2 höns-
buljongtärning
1 dl vispgrädde
3 dl mjölk
1 dl plockad dill
+ till garnering
olja, salt, peppar

Pepparrotscrème
2 potatisar (mjölig sort)
2 äggulor
1/2 dl kallpressad
rapsolja
1/2 dl finriven pepparrot

Gör så här:
1. Skala bönorna genom att nypa av en öppning och trycka ut bönan. Skala och hacka lök och vitlök.
2. Riv skalet av citronen och pressa ut juicen.
3. Fräs bönor, lök, vitlök och citronskal i 1 msk olja ca 2 minuter i en kastrull. Häll på vatten och buljongtärningar. Låt koka under lock ca 5 minuter.
4. Tillsätt grädde och mjölk och låt koka ytterligare 10 minuter.
5. Mixa ner dillen i soppan med stav-mixer eller i matberedare. Sila ner soppan i kastrullen. Smaka av med citronjuicen samt 1/2 tsk salt och 1 krm peppar.
6. **Pepparrotscrème:** Skala och koka potatisen i lättsaltat vatten. Pressa den genom en potatispress, låt svalna något.
7. Tillsätt äggulorna och vispa ner den kallpressade oljan. Tillsätt ev lite vatten om det blir för tjockt. Blanda i peppar-roten och krydda med 2 krm salt.
8. Värm soppan och servera med pepparrotscrèmen. Toppa gärna med sidfläskfräs som ger sälta och krisp till soppan.

Dän fekk ja mä i riktit skrövmål!

DALARNA Dalahästar, kurbits, knätofsar, midsommarfirande och röda timmerstugor. Dalarna har utpräglade kulturella uttryck, och konstnärer som Carl Larsson och Anders Zorn har hjälpt till att sprida dem.

Många besöker landskapet varje år, för att åka Vasaloppet eller åka på skidsemester till Idre och Sälen. Det finns platser i Dalarna där tiden stått stilla. Där liknar språket fornsvenskan och korna går med skälla vid fäboden. Fjällvärlden börjar i norra Dalarna, och bara en liten del av ytan är uppodlad, resten täcks av skog. Dalmasen tar hand om det som naturen ger; älvens fisk, skogens djur, slätternas bär och örter.

För flera miljoner år sedan slog en gigantisk meteorit ner i Dalarna. Nedslagsplatsen blev till sjön Siljan och stenbrottet Dalhalla; idag en konsertscen.

Traditioner är viktiga, med hemslöjd, skinntillverkning, falukorv och fäbodar. Men frågan är om det inte är brödet som är mest traditionsrikt. Egna stolta varianter av tunnbröd finns i varje by. Och nu är tradition trend; kurbitsmönster och träskor syns på den modemedvetna.

»Potatis i denna form tillsammans med fläsk tillhör det bästa i denna värld.«
Jan-Olof Alatalo

RÅRAKOR

Rårakor görs oftast på enbart riven potatis som man steker. Men i Dalarna blandar man ofta den rårivna potatisen med ägg och mjöl och gräddar i panna. Det är enkel mat men samtidigt något av det godaste man kan göra av potatis. Serveras med fläsk och lingonsylt.

För 4 personer

1 kg potatis	2 msk vetemjöl
(fast sort)	salt
4 ägg	smör

Gör så här:

1. Skala och riv potatisen grovt. Blanda i ägg, mjöl och 1 tsk salt.

2. Klicka 1 dl av smeten till varje råraka i en stekpanna med lite smör i.

3. Platta till och stek gyllenbruna på båda sidor.

Servera gärna med stekt fläsk och lingonsylt.

I skafferiet

I Dalarna vävs gamla traditioner ihop med det nya. Knäckebröd och tunnbröd lever kvar men ibland på nytt sätt; knäckebrödet används till tapas och tunnbrödet till wraps. Med fyllda visthusbodar, stark fäbodskultur och en stolthet över mathantverket finns här mycket att välja på.

GUSTAFSKORV

I jordbruksbygden utanför Borlänge användes förr arbetshästar. När de hade gjort sitt blev de till hästkött och korv. Ett bra sätt att ta tillvara det magra fina köttet. Det är bakgrunden till gustafskorv, som än idag får sin karaktäristiska smak i rökbastu eldad med granved.

KNÄCKEBRÖD

Dalarna är känt för sitt fina knäckebröd. Där finns stora tillverkare som Leksandsknäcke men också moderna uppstickare som Pyramidbageriet, grundat på en surdeg importerad från Egypten. Vikabröd har sin nisch med tradition ut i minsta detalj med vedeldade ugnar och långskaftade brödspadar.

FALUKORV

På 1500-talet bröts det malm i Falu koppargruva. För att hissa upp malmen behövdes starka läderlinor. Linorna gjordes av oxhud, och till 125 meter lina gick det åt 200 oxar. Djuren kom i långa karavaner från Småland. Oxköttet togs om hand, saltades och röktes. Detta var embryot till vad som senare kom att bli Falukorven med stort F.

Visste du att ...

Melkers falukorv gör bland annat en extra tjock falukorv som kan skivas och serveras på samma sätt som en hamburgare.

SENAP

LissEllas vinner varje år medaljer i senapens VM, som hålls i USA. Favoriten för många är S-special, en mycket stark och lite söt senap. Men lingonsenap, senapsdressing och grov senap med fänkål och timjan har också sina anhängare. De började provodla senapsfrö redan 1995 för att få fram ett ekologiskt närodlat frö med god smak.

ÄGG

På Alsbo ägg i Krylbo går hönorna fritt både inne och ute. Det brukar vara kö ut till sandbadet när luckorna öppnas. De har också ett gäng tuppar att dela på, för det har visat sig att hönorna trivs bättre då. Alsbo ägg har visat att det visst går att låta hönorna gå ute trots att man har flera tusen.

MJUKT TUNNBRÖD

Rättviks tunnbrödsbageri gör mjukt tunnbröd hantverksmässigt i stenhällsugn efter ett gammalt recept.

DALKULLAGLASS

Den lokalt tillverkade glassen görs på hantverksmässigt sätt med färsk grädde från bönder i regionen.

DRICKA

Mora bryggeri gör öl, enebärsdricka och fruktshampanje. Bland annat. Deras svagdricka ska ge minnen från slåttern, där man svalkade strupen med några klunkar svagdricka, kyld i någon å i närheten.

DALAFILÉ MED ÄPPELPORTVINSSÅS

Dalagris serveras med en kantarellröra som får extra tugg av hackade valnötter.

För 4 personer
1 fläskfilé (ca 600 g)
smör, rapsolja
salt, peppar
Svampröra
4 dl trattkantareller
2 schalottenlökar
1 vitlöksklyfta
1 dl valnötter
2 dl vispgrädde
1/2 dl hackad persilja
Sås
1 schalottenlök
1 liten morot
1 äpple
2 msk balsamvinäger
1 msk socker
2 dl portvin
4 dl vatten
1 msk konc kalvfond
2 msk mörk Maizena-
redning

Gör så här:
1. Sätt ugnen på 125°C. Börja med såsen. Skala och hacka schalottenlök och morot. Riv äpplet och fräs med lök och morot i 1 msk olja i en kastrull.
2. Tillsätt vinäger, socker, portvin, vatten och fond. Låt småkoka ca 15 minuter.
3. Sila bort lök, morot och äpple. Red såsen med Maizenaredning. Låt koka ca 1 minut. Smaka av med salt och peppar. Ställ åt sidan.
4. Svampröra: Skala schalottenlök och vitlök. Grovhacka kantareller, schalottenlök, vitlök och valnötter.
5. Fräs detta i 2 msk smör ett par minuter i en stekpanna. Tillsätt grädde och koka ner till en krämig konsistens. Smaka av med salt och peppar. Vänd ner persiljan.
6. Filé: Bryn filén runt om i smör och olja i en stekpanna. Krydda med 1 tsk salt och 1 krm peppar.
7. Lägg filén i en smord ugnssäker form och stick in en köttermometer i den tjockaste delen. Ställ in i ugnen ca 25 minuter, tills köttet är nästan genomstekt, 63°C.
8. Linda in i smörpapper och låt vila ca 15 minuter. Värm såsen.
9. Skär köttet i bitar. Skeda på svampröran. Servera med såsen och gärna ett potatismos samt kokta primörgrönsaker.

SOFIE GUSTAFSSON ÅLDER: 31 **FAMILJ:** Sambon Daniel och beþisen Vega.
Dalkullan Sofie är mammaledig med lilla Vega, men annars jobbar hon på Clas Ohlson som ligger i Leksand. Hon älskar att laga mat och baka, och experimenterar gärna. Hon lagar allt från indiskt till mexikanskt. Sofie är också konstintresserad och målar gärna själv. När Sofie skapade sin vinnarrätt hade hon mycket svamp i frysen, och hon ville gärna ha med äpple.
Att laga svensk mat och att använda kött var en utmaning. Men hon fick klart godkänt av sambon, som är kock!

Nya landskapsrätten

»Passar både vardag och kalas, mättar både lapp, gute och mas… Lokalt griskött med krämig svampröra från närskogen och en modernt lätt, smakrik sås samt lokalproducerade grönsaker skulle nog även ha tillfredsställt herr Vasa…«

DALAENTRÉ

Maria Råsäter, Falun: Härlig kontrast mellan sött, salt och syrligt. Med den klassiska gustafskorven blir det en spännande Dalaentré.

För 6 personer (förrätt)

300 g gustafskorv (eller rökt hästkött)
300 g färska rödbetor (gärna små)
3 msk solrosfrön
2 salladslökar
150 g getost (av chèvretyp)
salt, svartpeppar

Äppel- och blåbärschutney

1 1/2 syrligt äpple, tex gravensteiner
1/2 dl blåbär
1/2 liten gul lök
2 torkade fikon
1/2 dl rörsocker
1/2 msk balsamvinäger
1/2 msk vitvinsvinäger
1 krm salt

Gör så här:

1. Börja med chutneyn. Dela, kärna ur och skär äpplena i cm-stora tärningar. Skala och finhacka löken. Grovhacka fikonen.
2. Blanda allt till chutneyn utom blåbären i en kastrull och koka ca 10 minuter. Vänd ner blåbären i den varma chutneyn. Låt svalna.
3. Koka rödbetorna mjuka i lättsaltat vatten. Gnid bort skalet under rinnande kallt vatten. Skär dem i klyftor.
4. Sätt ugnen på 275°C grill.
5. Rosta solrosfröna i en torr och het stekpanna. Skär salladslöken i strimlor.
6. Skär getosten i cm-tjocka skivor. Lägg dem på en plåt med bakplåtspapper och gratinera 1–2 minuter i övre delen av ugnen. Låt svalna något.
7. Lägg rödbetor i portionsskålar eller på tallrikar. Lägg på getosten och en klick chutney. Strö över solrosfrön och salladslök. Servera med tunna skivor gustafskorv.

MIDSOMMARSALLAD

Emma Stenberg, Sundborn: Dalarna är starkt förknippat med midsommar. Här en lätt och färgstark förrätt som passar i midsommarvärmen på buffén.

För 4 personer
1 burk hela matjes-
   sillfiléer (570 g)
2 små färska rödbetor
200 g färskpotatis
1 morot
3 salladslökar
75 g sockerärter
1 äpple
salt, grovmalen svart-
   peppar
dillvippor till garnering
Dressing
3 msk rapsolja
3 msk olivolja
2 msk äppelcidervinäger
2 tsk dijonsenap

Gör så här:
1. Koka rödbetorna mjuka i lättsaltat vatten. Gnid bort skalet under rinnande kallt vatten. Skär dem i klyftor.
2. Koka potatisen i lättsaltat vatten. Skär i bitar.
3. Skala och skär moroten i strimlor. Skär salladslöken och sockerärterna i strimlor. Skala, kärna ur och tärna äpplet fint.
4. Blanda potatis, morötter, salladslök, sockerärter och äpple.
5. **Dressing:** Rör ihop ingredienserna till dressingen. Krydda med 4 krm salt och 2 krm peppar. Häll den över potatissalladen.
6. Lägg upp potatissalladen och toppa med rödbets-klyftor. Servera med hela matjesfiléer och garnera med dillvippor. Ett dalaknäckebröd med god ost passar perfekt till.

Hä va både korv å kams!

GÄSTRIKLAND är porten mot Norrland. Där finns den östligaste delen av Bergslagen, djupa skogar och en lång havskust. Järn och skog var en gång det som försörjde invånarna i landskapet, ihop med fiske vid kusten. Gästrikland kallades järnriket, och här fanns många små gruvor där man bröt järnmalm. Vid bruken tillverkades järn och stål som skeppades ut från hamnarna vid kusten. I början av 1900-talet var Gysinge ett av Sveriges största järnbruk.

Större delen av ytan är täckt av skog, med inslag av både odlingsmark och myrar.

Dalälven har hela 30 olika fiskarter, och i Gavleån kan man fiska lax och havsöring mitt i stan. Fiskelägena Bönan och Utvalnäs är populära matresemål, där böcklingen står högt i kurs. Det finns många fiskrestauranger längs kusten.

I Färnebofjärdens nationalpark möts nord och syd vad gäller både växter, insekter och djur. I Gästrikland finns också vackra Wij trädgårdar och orten Ockelbo, som fått en plats på kartan efter att kronprinsessan Victoria träffat en Ockelbopöjk.

»Enklare och godare kan det inte bli! Den mjälla färska fisken med lite sälta och knapret från sotningen.«
Anitha Bergvik

SOTARE MED FÄRSKPOTATIS

Sotare med färskpotatis är nyfångad strömming som halstras i torr stekpanna. Serveras med kokt potatis och gärna dillsmör. Restaurant Skeppet i Gävle lanserade rätten 1946 som en exklusiv läckerhet i samband med stadens 500-årsjubileum.

För 4 personer
1 kg hel strömming (eller 16 urtagna strömmingar, ca 700 g)
1 kg färskpotatis
flingsalt

Gör så här:
1. Koka potatisen mjuk i lättsaltat vatten.
2. Rensa strömmingen men låt ryggbenet sitta kvar.
3. Hetta upp en stekpanna tills den är rejält het. Strö i 1 msk flingsalt. Vänta tills saltet börjar »poppa« lite.
4. Sota/stek strömmingen i saltet 2–3 minuter på varje sida. Upprepa med resten av strömmingarna, tillsätt salt i pannan allteftersom det behövs. Servera med den kokta färskpotatisen och gärna ett dillsmör.

I skafferiet

Gästrikland ligger lite inklämt mellan större landskap runt omkring men har ändå fått några egna specialiteter. Böckling, som är strömming rökt med granris, är en. Sotare en annan. Men förutom det som havet bjuder på finns spannmål och vilt från jord och skog.

WAHLSTRÖMS RÖKERI

Anders Wahlström har varit fiskare i över tjugo år. I hans rökeri och fiskbod i Gävle finns både färsk fisk och förädlad. Bland annat den guldskimrande böcklingen, det vill säga rökt strömming.

JORDNÄRA

På Jordnära produkter i Valbo odlas ekologisk potatis, morot, rödbeta och palsternacka. Det är så lokalt det kan bli, med som längst en och en halv mils leveranssträcka till butikerna i regionen. Hemligheten bakom den söta goda smaken på morötterna är sandjorden de odlas i.

MACKMYRA

År 1999 slog portarna upp till whisky-destilleriet på Mackmyra bruk. Då var det en mycket småskalig verksamhet med bara en kopparpanna på 100 liter, och de första åren ägnades åt att utveckla recept. Idag pågår destillering så gott som dagligen, men fortfarande hantverksmässigt, av svenska råvaror och utan tillsatser. Varje år lämnar 300 000 liter råsprit destilleriet för att lagras på ekfat i Bodås gruva. Rostad svensk ek, mjuk vanilj och torkad frukt är smaker som brukar tillskrivas Mackmyra whisky.

SOTARE OCH BÖCKLING

Rökeriet i Norrsundet drivs av paret Bergman. När fiskaren själv landat strömmingen förädlas den omgående till inlagd strömming, sotare eller böckling och finns till försäljning i Sjöboden.

STOR BILPRODUCENT

I Gävle produceras över en miljard bilar varje år. Ahlgrens heter de.

OCKELBO KYCKLING

Hos familjeföretaget Ockelbo kyckling har kycklingarna generösa ytor, och slakteriet ligger tvärs över gårdsplanen så att de ska slippa stressande transporter. I gårdsbutiken finns förutom färska och frysta kycklingdelar även exempelvis rökta kycklingbröstfiléer.

FRÅN AX TILL LIMPA

Berglunds bageri i Kungsgården bakar bröd från eget stenmalet Kravgodkänt mjöl, malet av spannmål från egna åkrar. Mjölet säljs även i butiken.

Visste du att ...

Gävle heter Gevalia på latin. Det är en hel del kaffebönor som anländer till Gävle hamn och rostas på Gevalias kafferosteri.

SKOGSSTRÖMMING MED POTATISPURÉ

Rönnbärsättika ger extra karaktär till den smakfulla strömmingen. Här ackompanjeras den av ett gott mos med kantareller.

För 4 personer
ca 600 g strömmings-
    filéer
2 msk grovmalen, osötad
    senap
2 msk riven pepparrot
    + till garnering
1 dl ströbröd
smör
salt, vitpeppar
Potatispuré
1 kg potatis (mjölig sort)
6 dl kantareller
1 msk finskuren gräslök
    + till garnering
100 g lagrad ost
2–3 dl mjölk
50 g smör
1 msk konc grönsaks-
    fond
Lingoncrème
1 dl lingon
1 dl crème fraiche
4 tsk honung
2 msk riven pepparrot

Gör så här:
1. **Lingoncrème:** Vänd försiktigt samman alla ingredi-enser till crèmen. Ställ kallt.
2. **Potatispuré:** Skala och koka potatisen mjuk i lättsaltat vatten.
3. Skär svampen i bitar. Fräs den i en stekpanna tills all vätska kokat bort. Tillsätt 1 msk smör och fräs ytterligare 2–3 minuter. Krydda med 2 krm salt och 1 krm peppar. Blanda i gräslöken.
4. Skär osten i små tärningar. Värm mjölken med 50 g smör. Mosa potatisen med stomp eller gaffel.
5. Blanda i svampblandningen, den varma mjölken med smöret och fond. Krydda med 1/2 tsk salt och 2 krm peppar. Blanda försiktigt i osten. Håll varmt.
6. **Strömming:** Blanda senap och pepparrot. Bre ett tunt lager av senapsröra på insidan av varje strömm-ingsfilé. Vik ihop dem och vänd dem i ströbrödet blandat med 1 tsk salt och 2 krm peppar.
7. Stek i smör på ganska hög värme ca 2 minuter på varje sida. Låt fisken svalna något och skeda därefter över 1–2 tsk rönnbärsättika per strömmingsfilé.
8. Servera strömmingen med purén och lingoncrèmen. Garnera med lingon, riven pepparrot och gräslök.

TIPS! RÖNNBÄRSÄTTIKA
Skölj och rensa 2 1/2 dl rönnbär. Lägg i en glas-burk och häll på ca 2 dl ättiksprit (12 %) så att det täcker. Sätt på lock och låt dra minst 3 dygn. Vid servering, häll av 1/2 dl lag från rönnbären. Blanda lagen med 2 msk vatten, 1/2 msk honung och 1/2 tsk salt före användning.

PER JERNBERG ÅLDER: 54 **FAMILJ:** Frun Lillemor, barnen Maria, 31, och Signe, 29, och flera barnbarn.
Per bor i Gävle sedan många år men kommer från Dalarna. Han är fysiker och facköversättare men lagar mycket mat på fritiden, särskilt på helgerna. Just nu är han inne på det nordafrikanska köket med harissa och koriander. Pers vinnarrätt utgår från en strömmingsflundra med potatismos, och sedan har han inspire-rats av både hav och skog. Senap och pepparrot är favorit-smaker som blir tongivande här.

Nya landskapsrätten

»Många smaker samsas i skön harmoni. Strömmingens kraftiga smak balanseras av bettet i rönnbärsättika, senap och pepparrot. Med tillhörande honungssötade lingon och potatispuré med trattkantareller uppstår ett smakfullt möte mellan Östersjöns glänsande silver och skogens mulliga smaker och dofter.«

JERNIS EXOTISKA BÖCKLINGRÖRA

Per Jernberg, Gävle: Många goda smaker som samsas och blir en väl avvägd helhet.

För 4 personer
250 g böckling
350 g mandelpotatis
5 msk crème fraiche
3 tsk flytande honung
2 msk finskuren gräslök
2 tsk finriven pepparrot
2 msk hackad koriander
  + till garnering
2 tsk finriven ingefära
2 tsk kapris
1 tsk dijonsenap
2 krm sambal oelek
  eller harissa
8 rädisor
4 skivor kavring
ev friterade lökringar
smör, salt

Gör så här:
1. Koka potatisen mjuk i lättsaltat vatten. Låt svalna.
2. Rensa böcklingen fri från ben och skinn. Dela filéerna i bitar.
3. Rör ihop crème fraiche, honung, gräslök, pepparrot, koriander, ingefära, kapris, senap och sambal oelek eller harissa.

4. Vänd försiktigt ner fiskbitarna i röran så att de inte går sönder.
5. Skär rädisorna i tunna skivor. Skala och skär den kalla potatisen i skivor. Bre smör på kavringskivorna och fördela potatisen på dem. Toppa med böcklingröra och rädisor. Garnera med koriander och gärna friterade lökringar.

TIPS! FRITERADE LÖKRINGAR Skala och skär 1 gul lök i tunna skivor/ringar. Pudra dem med majsstärkelse (Maizena). Hetta upp 1 dl olja i en stekpanna. Stek/fritera lökringarna i omgångar så att de blir krispiga och gyllenbruna. Låt rinna av på tjockt hushållspapper. Salta lätt.

BLÅBÄRSGLASS MED KARDEMUMMA OCH WHISKY

TIPS! BLÅBÄRSSÅS
Mosa 2 dl blåbär med 2
msk florsocker och passera
genom en finmaskig sil.

Annie Söder, Uppsala: Med ädla droppar från det
lokala whiskydestilleriet Mackmyra och skogens
smakrika blåbär blir detta en dessert med pondus.

För 8–10 personer
2 dl blåbär + till
   garnering
25 g smör
5 digestivekex
3/4–1 tsk hel
   kardemumma
5 äggulor
1 1/2 dl socker
1 tsk vaniljsocker
3 msk Mackmyra
   whisky (eller annan
   whisky)
3 dl vispgrädde

Gör så här:
1. Sätt ugnen på 175°C. Smält smöret.
Smula/krossa digestivekexen fint. Stöt
kardemumman i en mortel. Blanda
smör, kexsmulor och kardemumma.
Strö ut på en plåt med bakplåtspapper.
2. Rosta i ugnen ca 7 minuter. Ta ut och
låt stå framme och torka.
3. Vispa äggulor, socker och vaniljsock-
er poröst. Tillsätt whisky och blåbär.
4. Vispa grädden fast och vänd ner den
i ägg- och blåbärsblandningen. Häll
upp i en form. Ställ i frysen minst 6
timmar.

5. Ta fram och ställ i kylen ca 30 minu-
ter före servering.
6. Servera glassen med det rostade
strösslet och gärna blåbärssås. Garnera
med blåbär och gärna en myntakvist.

Jo ä bå ätten å dröckjen

HÄLSINGLAND Jämfört med landskap runt omkring har Hälsingland ännu fler vattendrag och dessutom verkligt rik odlingsjord. Här har alltid funnits bete till boskapen. Mer än 80 procent av ytan täcks av gran- och tallskog, där lodjur, varg, björn och framför allt älg lever. Resten är myrar med både hjortron och tranbär. De praktfulla hälsingegårdarna är ett mått på det välstånd som funnits i landskapet, och det är skogsnäringen och boskapsskötseln som utgjort grunden för rikedomen. Över tusen av de kulturellt värdefulla gårdarna finns bevarade. Bland annat Träslottet i Arbrå, där ostkake-VM arrangeras. Här finns också många levande fäbodar med betesdjur och osttillverkning.

Kustfisket har hälsingarna gemensamt med grannarna i Medelpad och Gästrikland. Men här hade man surfisk, som var en hälsingsk variant av surströmmingen. Folkmusik och hälsingehambo, allmogekonst och linindustri. Hårgalåten och fäbodliv. Hälsingen är stolt över sina traditioner. Lägger man till pappersbruket i Iggesund och framgångsrik järnhantering så har man Hälsingland i ett nötskal.

Lill-Babs har gjort sitt för att sätta Järvsö och Hälsingland på kartan, och det gör resten av Järvsöborna också med allt från uppfödning av Kravgodkänt nötkött till osttillverkning och potatisodling.

»Hälsingland utan ostkaka är som kusten utan hav.«
Elisabet Helsen

HÄLSINGEOSTKAKA

Ostkakan görs på olika sätt i olika delar av landskapet. Helt klart är dock att den inte innehåller mandel! Hälsingeostkakan skärs i skivor och värms tillsammans med grädde i ugnen. Den serveras med hjortronsylt och vispad grädde. Eller med saftsås. Man kan också steka skivorna i panna och hälla över grädden.

**För 6–8 personer
(ca 500 g)**
5 liter gammaldags mjölk
2 1/2 msk vetemjöl
1 msk ostlöpe (finns på
   apoteket)
2 dl vispgrädde
smör

Gör så här:
1. Värm mjölken till 40–41°C. Ta mjölken från värmen. Vispa direkt ut mjölet i ca 2 dl av mjölken, häll tillbaka och vispa noga.
2. Rör snabbt ut ostlöpen i ca 2 dl av mjölkblandningen. Häll tillbaka igen och vispa ca 3 sekunder.
3. Rör nu mjölken mycket sakta med en slev tills den blir lite trögflytande. Låt stå 20 minuter.
4. Skär massan i ett rutmönster med en lång kniv så att vasslen separerar. Låt stå ytterligare 15 minuter.

5. Lägg en tunn kökshandduk/silduk i ett durkslag. Ställ i en skål/kastrull. Häll upp ostmassan i durkslaget. Pressa och vrid ut så mycket vätska som det går med hjälp av duken. Låt rinna av över natten i kylskåp.
6. Sätt ugnen på 225°C. Pressa ut ytterligare vätska. Packa massan i en engångs aluminiumform, ca 5 dl. Vik ner ett litet hörn på formen så att överflödig vassle kan rinna av under gräddningen.
7. Grädda i vattenbad i nedre delen av ugnen ca 1 1/2 timme. Håll koll

så att ostmassan inte bubblar över kanten, knuffa tillbaka den om den »smiter«. Tippa formen då och då under gräddningen så att vätskan kan rinna av.
8. Ta ut och häll av den sista vätskan. Ställ kallt över natten. Nästa dag kan den frysas eller användas.

Vid servering: Sätt ugnen på 225°C. Skär ev bort den hårda, bruna skorpan. Skär kakan i cm-tjocka skivor. Lägg omlott i en smord, ugnssäker form. Häll på grädden och värm 10–15 minuter.

I skafferiet

Hälsingland kännetecknas av kreativa entreprenörer som förädlar landskapets gåvor, med Järvsö som självklart centrum. Här finns Hälsingestintans fina kött, Järvsö charolais med Kravgodkänt nötkött, ostar och ostkaka och bröd av alla de slag. Tura gård har musteri och odling av rabarber och jordgubbar. Trollharens fisk vid kusten förädlar strömming och annat. Och så vidare!

GLASS

Jarseglass med mejeri och liten butik i Järvsö gör sin glass av Kravgrädde från hälsingeböndernas kor, ägg från en uppfödare bortåt vägen och med smaker efter säsong. På sommaren tillsätts ekologiska jordgubbar, odlade i Järvsö, och hallon eller svartvinbär från egna täppan. I butiken finns också sylt, saft och skorpor, och bröd från Stenegårds tunnbrödsbageri.

UNG GETBONDE

Martin Söderkvist ville inte ha en hundvalp som barn. Han ville ha en ko. Mamma och pappa kompromissade med två killingar. Då var han nio år. Idag är han 20 och har ett 100-tal mjölkgetter och ett eget mejeri med en liten ostfabrik.

OSTKAKA SOM OSTKAKA?

När Lill-Babs fyllde 50 firade hon med en festmeny på Börsen i Stockholm. Som dessert: ostkaka. Men ve och fasa: Det var inte den släta hälsingeostkakan, utan grynig smålandsostkaka med mandel och bittermandel! Ett helgerån för en hälsing.

JARSEOST

Den gamla buagården Pallars i Hiklack, som drivs i 14:e generationen, har blivit mjölkgård med 40 mjölkkor och gårdsmejeri. Här finns den traditionella hälsingeostkakan, som här penslas med saffran på toppen, samt färskost och olika mögelostar.

Visste du att...

Det var till stor del den ljusblå linblomman som gjorde hälsingeböndernas så rika att de kunde bygga de mäktiga hälsingegårdarna.

SKOGSBOD

I skogsbyn Loos ligger Lottaboden, där man kan komma över syltade granskott och sylt och saft från handplockade bär från skog och trädgård. Och praliner och kakor.

LOKALA TOMATER

På Bredänge köksväxtodling odlar Olof Andersson biodynamiskt. I första hand tomater och gurkor i växthus som värms genom fliseldning. Grönsakerna säljs lokalt i regionens butiker.

HÄLSINGE HAMBONI

Grunden är en traditionell hälsingeostkaka som är lite gnisslig. Genom att man lägger den i saltlag blir det en halloumiliknande ost som passar till såväl förrätter som varmrätter.

För 6 personer
500 g hälsingeostkaka
   (se recept sid 152)
1 liter vatten
2 msk salt
1 gul paprika
250 g körsbärstomater
1 påse blandad sallad
   (ca 125 g)
50 g pinjenötter
2 krm chiliflakes
2 krm timjan
2 krm rosmarin
smör, olivolja

Vinägrett
1 msk vitvinsvinäger
2 msk olivolja
1 tsk italiensk
   salladskrydda
1 tsk finhackad vitlök

Gör så här:
1. Koka upp vatten och salt. Låt svalna helt. Lägg ostkakan i saltlagen och se till att lagen täcker kakan. Låt stå i kylskåp 2 dygn.
2. Dela, kärna ur och skär paprikan i tunna strimlor. Skär tomaterna i hälften. Lägg upp på ett fat med salladen.
3. Rosta pinjenötterna i en torr och het stekpanna tills de fått lite färg. Låt svalna. Stöt chiliflakes, timjan och rosmarin i en mortel.
4. Blanda ihop ingredienserna till vinägretten.
5. Ta upp ostkakan ur saltlagen och torka av med hushållspapper. Skär den i skivor eller tärningar.
6. Stek ostbitarna runt om på mycket hög värme i 1 msk smör och 1 msk olja. Krydda med den mortlade chili- och örtblandningen. Osten ska få gyllenbrun färg.
7. Lägg osten på salladsbädden, ringla över vinägretten och strö över pinjenötterna. Garnera gärna med färska örter och salladsskott.

LISA GUSTAVSSON FLYGT ÅLDER: 44 **FAMILJ:** Maken Björn och barnen Jesper, 22, Filip, 20, Jakob, 19, och Tova, 14, samt bonusbarnen Robin, 21, och Max, 19.
Lisa bor i Vänge utanför Uppsala och jobbar på kyrkonämndens förvaltning, som ser till att kyrkogårdarna i Uppsala är fina. Men hon kommer från Hälsingland. Släkten på mammans sida finns där, och det är vid sommarstugan vid Dellensjöarna som släktingarna samlas om somrarna. Till vardags är Lisas matintresse lite vilande, men till fest blommar det upp. Hon älskar att planera kalas. Fräscha sallader, goda röror och efterrätter är gott! Lisas rätt har sin grund i den hälsingska ostkakan. Så fort det är kalas är den lite gnissliga ostkakan given. Hon har många gånger tänkt testa att grilla eller woka den, och nu gjorde hon slag i saken och testade. Hon lade ostkakan i saltlag, wokade den ihop med chilipeppar och kryddor och serverade med en grönsallad.

»Hälsingeostkaka är en lätt beroendeframkallande dessertostkaka som här får ta smak av en saltlag och därefter blir en modern förrättsost. Den smakrika, sega och lätt gnisslande osten bjuder på en underbar textur och konsistens som passar perfekt till den spröda och krispiga salladsbädden.«

BRÄSERAD UNGNÖTSENTRECÔTE

Frasse Eriksson, Bollnäs: Hälsingland har blivit känt för sitt fina kvalitetskött genom Hälsingestintan. Tillsammans med lokal ost, korn från de närliggande gårdarna och skogens kantareller blir detta Hälsingland i ny tappning. En härligt mustig rätt.

För 4 personer

ca 700 g entrecôte i skivor (gärna kalv eller ungnöt)
1 gul lök
3 vitlöksklyftor
2 tomater
1 dl vitt vin
1 dl vatten + 1 msk konc kalvfond
2 krm salvia
ca 500 g morötter
ca 200 g palsternackor
socker
smör
salt, svartpeppar
hackad bladpersilja till garnering

Gör så här:

1. Skala och finhacka lök och vitlök. Skär tomaterna i bitar.
2. Bryn köttet i 2 msk smör på hög värme i en gryta eller en i stor stekpanna med lock 1–2 minuter på varje sida. Krydda med 1 tsk salt och 2 krm peppar.
3. Ta upp köttet och lägg åt sidan. Sänk värmen och lägg i lök och vitlök. Låt fräsa ca 2 minuter.
4. Lägg tillbaka köttet. Häll på vin, vatten + fond och tomatbitarna. Tillsätt salvian.
5. Låt köttet småkoka på svag värme under lock 1–1 1/2 timme. Späd med vatten om det kokar torrt.
6. Skala och skär morötter och palsternackor i bitar. Lägg i en kastrull och häll på 1 1/2 dl vatten. Tillsätt 2 krm salt, 1/2 tsk socker och 1 krm peppar. Koka under lock tills grönsakerna är mjuka.
7. Ta upp köttet ur pannan och skär det lite snett på mitten.
8. Lägg upp grönsaker och kött i halvdjupa varma tallrikar. Skeda över skysåsen och garnera med persilja. Servera kornotton till.

TIPS! KORNOTTO
Koka upp 8 dl vatten med 2 msk konc kycklingfond.
Skala och finhacka 1 gul lök. Skär 400 g kantareller
i grova bitar. Fräs kantareller och lök i en kastrull
i 2 msk smör 3–4 minuter. Häll på 2 dl korngryn och
låt fräsa ytterligare 2–3 minuter. Häll på 1 dl vitt vin,
1 dl vispgrädde och 2 dl av buljongen. Låt sjuda på
svag värme ca 25 minuter under lock, rör då och då.
Fyll på med mer buljong efter hand. Kornotton ska
vara krämig men inte rinnig. Smaka av med salt och
peppar. Riv 100 g prästost (extra lagrad) och rör ner
den och 1/2 dl hackad bladpersilja i kornotton.

ÄLGFÄRSSOPPA

Ingrid Westlund, Hudiksvall: Hälsingland är rikt på älg och svamp,
därför blir det en självklar bas i den här soppan.

För 4 personer
300 g älgfärs
1 gul lök
2 dl kantareller
2 morötter
2 palsternackor
1 liter vatten
2 köttbuljongtärningar
500 g krossade tomater
1 msk chilisås
2 vitlöksklyftor
250 g färsk gnocchi
1 1/2 tsk timjan
1/2 dl hackad persilja
rapsolja, salt
grovmalen svartpeppar

Gör så här:
1. Skala och hacka löken. Dela svampen i bitar. Fräs
löken försiktigt någon minut i 2 msk olja i en stekpanna.
Tillsätt svampen och fortsätt fräsa ca 5 minuter. Lägg
över allt i en gryta.
2. Skala och skär morötter och palsternackor i ca
1 1/2 cm stora bitar och lägg i grytan.
3. Tillsätt vatten, buljongtärningar, krossade tomater
och chilisås. Pressa ner vitlöken.
4. Forma teskedsstora bollar av färsen. Lägg ner
i grytan.
5. Koka under lock ca 10 minuter. Tillsätt gnocchi,
timjan och 1 krm peppar. Koka tills gnocchin är klar.
Smaka av med salt. Strö över persilja vid servering.
6. Servera gärna soppan med en klick gräddfil samt
ett mjukt, grillat tunnbröd fyllt med ost.

Åk hitom, så får ni gofika

MEDELPAD Kalhyggen och ödehus, sly och barrskog. Medelpad är sågverk och timmer, älvar och glesbygd. Men naturen skiftar mellan milsvida skogar, åkermark och karga kusttrakter. Havet har »kokat« av fisk under vissa tider, och även säl har varit en vanlig syn på klipporna. Saltad fisk, strömming och lax, var standardmat vid kusten. Under den stora sågverksepoken var många byar väglösa, och man tog sig fram längs älvar och sjöar. Eller så väntade man tills det blivit slädföre. Timret flottades på älvarna ner till sågverken vid kusten.

Seder och bruk gick från generation till generation, och för många var marknaderna enda kontakten med omvärlden. Mat, redskap och kläder tillverkades på gården, och i skogen fanns blåbär, älg, rådjur, hare och tjäder.

Kött och mjölk var det ont om, men vissa anlade egna kryddgårdar med timjan, gräslök, pepparrot, mejram... Humle längs en humlestör ansågs fint. Längs älvarna var jorden mer bördig. Bröd var viktigt och sädesslagen var korn, följt av råg och havre. Rovorna gav så småningom vika för jordpäronen (potatisen).

SVERIGES MITTPUNKT
geografiskt ligger här.

Blåbär är populärt bland både djur och människor. Det innehåller vitaminer, mineraler och antioxidanter.

Såg vid såg
jag såg,
varthelst jag såg.

1888 BRANN
stora delar av Sundsvall ner.

»Av ett litet misstag skapades denna förträffliga kötträtt. Tillsammans med potatisgratäng kan du bjuda till stor fest!«
Lisbeth Holm

TJÄLKNÖL

En tjälknöl är fryst älgstek som tillagas långsamt i ugnen. Kött som tillagas på låg temperatur blir mört och saftigt. Går man ner så långt som till 75°C och dessutom lägger köttet i saltlag, som i tjälknölens fall, blir effekten ännu större. Goda tillbehör är potatisgratäng, gräddsås och bärgelé.

För 4–6 personer
1 1/2 kg fryst älgstek
1 liter vatten
1 dl salt
1/2 dl socker
10 krossade enbär
1 tsk torkad timjan

Gör så här:
1. Sätt ugnen på 75°C. Lägg den frysta älgsteken i en ugnssäker form. Ställ in i ugnen.
2. Sätt in en köttermometer efter ca 6 timmar. Låt stå i ugnen tills innertemperaturen i köttet är 65–70°C, det kan ta ytterligare ca 6 timmar.

3. Koka upp vattnet med salt och socker i en gryta och låt kallna. Tillsätt enbär och timjan.
4. Lägg ner den varma steken i lagen. Låt ligga svalt 4–5 timmar.
5. Ta upp steken och torka den lätt med hushållspapper. Skär steken i tunna skivor och servera gärna med potatisgratäng.

I skafferiet

Medelpad och Ångermanland nämns ofta tillsammans på grund av liknande mathistorik och förutsättningar. Odlingen har aldrig varit enkel, men idag har bland annat mandelpotatisen fått ett uppsving och det finns allt från gårdsmejerier till ölbryggeri och laxförädling i landskapet. Fisk och vilt har det alltid funnits i övermått.

KÄNDIS

Skvadern är mycket väl känd i Medelpad. Men ingen har sett den i verkligheten. Det kanske beror på att det är en blandning mellan tjäder och hare.

FÅROST

Strömmens gårdsmejeri utanför Ånge tillverkar exklusiva fårostar, där Boltjärn blå har låtit tala lite extra om sig. Där finns 50 mjölkande får som vart och ett ger uppemot två liter mjölk per dag. Kan vara världens nordligaste fårostmejeri.

HISTORIEN OM TJÄLKNÖLEN

I början av 1980-talet vann Ragnhild Nilsson i Torpshammar en tävling om typisk bygdemat från Medelpad. Ragnhild hade tänkt skicka in ett recept på en rejäl älgstek, eftersom hennes man var jägare. Men hon glömde ta fram köttet ur frysen och satte därför in det på tining på låg värme i ugnen för att få »tjälen att gå ur knölen«. Av misstag blev den kvar över natten, och i ett försök att rädda den lade hon den i saltlag. Resten är historia.

BLOMDRICKA

Älgört, älggräs eller ängens drottning. Vi har alla sett de krämvita doftande blommorna, kanske utan att veta deras namn, men det är inte många som vet att man kan göra dryck av dem. Linné visste det och även Jing Helmersson i Ljungaverk. Hon plockar blommorna för hand, och under namnet Moosegrass gör hon både dryck och gelé. Älggräsdrycken kan serveras som måltidsdryck eller som cocktail. Blomman innehåller naturlig salicylsyra, som bland annat är smärtstillande.

LAX

Vid Bergeforsens kraftverk finns en av Europas största laxodlingar, och det är en populär plats för fritidsfiskare. När kraftstationen byggdes på 1950-talet blev man ålagd att kompensera för den fisk som fick sin vandringsväg förstörd, så idag sätts det ut 320 000 utvandringsfärdiga laxyngel, 55 000 havsöringsyngel, 150 000 sikyngel och 32 000 glasålar. Per år.

DET SOM LUKTAR vid pappersbruken är svavelföreningar.

Nya landskapsrätten

»I centrum för denna robusta smakupplevelse står granen och haren; alltså Medelpads landskapsblomma och landskapsdjur. Skogens friska doft och harens vilda smak ackompanjeras fint av älgörtskryddade lingon.«

TIPS! ÄLGÖRTSLIKÖR
Lägg älgörtsblommor i neutralt brännvin och låt dra 1 vecka. Sila av, späd med brännvin och rör i socker efter smak.

HARBIFFAR MED SVAMPSÅS

Harfärsen har mycket viltsmak, men den kan ersättas med annan viltfärs eller till och med lammfärs, då kryddningen är ganska »vild« i sig.

För 4 personer
500 g färs på hare (annat
  vilt eller lammfärs)
1/2 dl ströbröd
1/2 dl mjölk
1 liten gul lök
1 vitlöksklyfta
1 dl granskott (kan
  uteslutas)
10 enbär
1 ägg
1 1/2 tsk rosmarin
smör, olivolja
salt, peppar

Lingonröra
1 1/2 dl lingon
1 msk socker
1 tsk honung
2 msk älgörtslikör
  (se tips), älgörtssaft
  eller t ex hjortronlikör

Sås
1 liten gul lök
100 g svamp (gärna
  kantareller)
1 dl vitt vin
1 1/2 dl vispgrädde

Gör så här:
1. **Lingonröra:** Blanda lingon med socker och honung. Mosa lingonen med en gaffel och blanda i likör eller saft. Ställ kallt.
2. **Färsbiffar:** Sätt ugnen på 125°C. Blanda ströbröd med mjölk. Låt svälla ca 10 minuter.
3. Skala och finhacka lök och vitlök. Hacka granskotten. Stöt enbären i en mortel. Hacka dem fint.
4. Rör ner ägget i färsen och blanda ner ströbrödsblandning, lök, vitlök, granskott, enbär och rosmarin. Krydda med 1 tsk salt och 1/2 tsk peppar.
5. Forma 8 biffar av smeten. Stek/grilla i smör 2–3 minuter i en stek-/grillpanna på varje sida tills de fått lite färg. Lägg över dem i en ugnssäker form och stek färdigt i ugnen, 10–15 minuter.
6. **Sås:** Skala och finhacka löken. Skär svampen i bitar. Fräs den i en stekpanna tills all vätska kokat bort. Tillsätt 1 msk smör och fräs ytterligare 2–3 minuter.
7. Tillsätt lök och vin och låt det småkoka någon minut. Häll i grädde och låt sjuda ca 15 minuter. Smaka av med 2 krm salt och 1/2 krm peppar.
8. Servera biffarna med sås, lingonröra och gärna rostade rotfrukter (se recept sid 122).

MATS HENRIKSSON ÅLDER: 64 **FAMILJ:** Frun Marie-Louise och barnen Åsa, 32, och Maria, 29.
Mats kommer ursprungligen från Halmstad men bor i Sundsvall sedan 1976 och har rotat sig i Medelpad. Han arbetar som arkitekt på länsstyrelsen i Västernorrland. Han lagar gärna mat med familjen och tycker om att hitta på nytt. Hellre fisk än kött, och om det ändå blir kött är det oftast ren eller lamm. Döttrarna är dessutom vegetarianer, så det blir mycket grönt.
Mats biffar är resultatet av funderingar kring landskapet och dess ingredienser.

MESSMÖRSGLASS
MED HJORTRONSÅS

TIPS! FLARN
Sätt ugnen på 100°C. Skär tunna skivor av mjuk pepparkaka eller sockerkaka. Lägg ut på en plåt med bakplåtspapper. Ställ in i ugnen ca 1 timme. Ta ut dem när de fortfarande är lite mjuka om du vill ha böjda flarn. Luta dem i så fall mot ett glas och låt torka helt.

Gunilla Morelius Vesterlund, Kovland: Smörigheten i glassen balanseras fint av hjortronsåsens syrlighet. Ett flarn passar bra till för att ge lite »krispigt« tuggmotstånd.

För 6 personer
4 äggulor
1 1/2 dl socker
4 dl vispgrädde
300 g messmör
1 msk whisky

Hjortronsås
1 paket frysta hjortron (250 g)
1 dl socker
2 dl vatten
3 msk färskpressad citronjuice

Gör så här:
1. Vispa äggulor och socker fluffigt. Vispa grädden.
2. Blanda äggsmeten med messmör och whisky. Vänd ner grädden i smeten.
3. Klä en avlång form (knappt 1 liter) med plastfolie och häll i smeten. Ställ i frysen 4–6 timmar.
4. **Hjortronsås:** Blanda hjortronen (men spara några hela till garnering), socker, vatten och citronjuice i en kastrull. Koka upp och låt koka ca 5 minuter.
5. Ta från värmen och mixa såsen i en matberedare eller med en stavmixer. Sila bort kärnorna i en nätsil. Späd ev med lite vatten om den känns för tjock. Ställ såsen kallt.
6. Ta fram glassen och ställ i kylen en stund före servering.
7. Servera glassen med hjortronsåsen och garnera med några hjortron. Ett flarn passar bra till.

KORNGRYNSSALLAD FRÅN MEDELPAD

Karin Wikberg Persson, Torpshammar: Korngryn från Medelpad och inspiration från Spanien blir en fin kombination.

För 4 personer

2 dl korngryn
1 paket saffran (1/2 g)
400 g kycklinglårfilé
2 vitlöksklyftor
3 morötter
1/3 purjolök (ca 60 g)
5 cm libbsticka eller
   3 selleristjälkar

250 g körsbärstomater
1 dl vitt vin
1 burk kräftstjärtar (360 g)
2 dl matyoghurt (10 %)
2 msk hackad persilja
smör
salt, svartpeppar

Gör så här:

1. Koka korngrynen enligt anvisning på förpackningen med saffran och 1/2 tsk salt.

2. Skär kycklingen i lillfingerstora strimlor. Skala och finhacka vitlöken. Skala och skär morötterna i tunna slantar. Ansa och skär purjolöken i strimlor. Skär libbstickan/sellerin i tunna strimlor. Skär tomaterna i klyftor.

3. Stek kycklingen med vitlöken i 1 msk smör 6–8 minuter. Tillsätt morötter och låt fräsa med ca 3 minuter.

4. Blanda i purjolök, libbsticka/selleri, de kokta korngrynen och vin. Rör om så att allt blir varmt. Smaka av med salt och peppar.

5. Låt kräftstjärtarna rinna av. Blanda yoghurten med persiljan.
Garnera salladen med tomater och kräftstjärtar. Servera med yoghurten.

De änne mer då han nåppe snatterbera än blåbera

ÅNGERMANLAND En stor del av landskapet är täckt av blåbärsrik granskog, tallskog med hängande lavar och myrmark där man kan träffa på skogens konung. Landskapet korsas av stora älvar som forsar ner mot kustens klippor och fina fiskelägen. Anger betyder havsvik, så Ångermanland kan betyda havsviksfolkets land.

Ångermanland nämns ofta i samma andetag som Medelpad och har en likartad historia och kultur. Skogsbruk och fäbodliv har varit större än jordbruket, men korn har odlats och även lite råg och havre.

Men något man aldrig kan ta ifrån ångermanlänningarna är Höga kusten, som blev utnämnt till världsarv år 2000. Där ligger också nationalparken Skuleskogen, vars kustremsa har världsrekord i landhöjning. Det är också sista utposten för många sydliga växter. Skogslandskapet visar hur våra förfäders utmarker såg ut. Det sägs att troll och jättar bor här, men rövarna har gett plats för turister.

Ulvön, som ligger i skärgården utanför Örnsköldsvik, är känt som både surströmmingens ö och Bottenhavets pärla. Redan på 1500-talet sökte sig fiskare dit för den rika förekomsten av sik, strömming och lax. Det fanns så mycket lax att drängarna ibland fick inskrivet i kontraktet att de inte skulle behöva äta lax oftare än fyra dagar i veckan.

»När doften sig sprider här hemma. Så höjer maken sin stämma. Min kära fru! Vem är väl du, som gör så god surströmmingsklämma!«

Anna Ekman

SURSTRÖMMINGSKLÄMMA

Surströmming, mandelpotatis, finhackad lök och smör inrullat i mjukt tunnbröd anses av många vara höjden av njutning. Metoden att fermentera, jäsa, livsmedel blev vanlig i Sverige redan på 1500-talet, då det var saltbrist till följd av Gustav Vasas krigföring. Surströmmingspremiären sker tredje torsdagen i augusti om man går efter traditionen.

För 4 personer
2 burkar surströmming (à 475 g)
1 kg mandelpotatis
2 rödlökar
8 mjuka tunnbröd
smör

Gör så här:
1. Skala och koka potatisen mjuk i lättsaltat vatten.
2. Låt surströmmingen rinna av. Rensa den och ta bort benen.
3. Skala och finhacka löken. Skär potatisen i skivor.

4. Bre smör på tunnbröden och fördela potatis, lök och surström ming på. Rulla ihop till klämmor.

I skafferiet

Kreativiteten har hittills inte varit lika stor som i exempelvis Jämtland vad gäller mat, men intresset för det lokalproducerade är väckt och nu tuffar det på. Mandelpotatisen är stor, och det jobbas för att få fram kokvänligare sorter. Tunnbrödet och surströmmingen håller på att få sällskap av honung, ost och bär i skafferiet.

ULVÖN

Ulvö lilla salteri gör fyra sorters surströmming i småskalig produktion och är den enda tillverkaren som ligger kvar på Ulvön, som tidigare hyste många surströmmingstillverkare.

VAD ÄR KOLBULLAR?

Jo, det är riktig skogs-huggarmat där fläsk steks i en panna, och efter det en smet av mjöl och vatten. Det traditionella tillbehöret är lingonsylt, men nydanare som Birgit på Rotsjö gård brukar även ta en klick crème fraiche.

LUKT ELLER DOFT?

Alla har en åsikt om surströmming. Den rensade fisken saltas, läggs i öppna kar och får jäsa. Enzymer tillsammans med bakterier bildar starkt luktande syror som smörsyra och ättiksyra av fiskens enkla sockerarter. Strömmingen läggs sedan i konservburkar för efterjäsning, och ibland kan man se att burken buktar. Om fisken ska ätas inrullad i mjukt tunnbröd med hackad rå lök, på hårt tunnbröd eller bara som den är med potatis. Ja, därom tvista de lärde.

Surströmmings-akademien arbetar för surströmmings-kulturen.

SKOGS-HILDAS BRÖD

I byn Björnås i hjärtat av Höga kusten bakar Ingrid Ölund traditionsrikt tunnbröd, med kornmjöl och ved-eldad ugn. Men hon har många nya idéer. Savknäck-et bakar hon med ren björksav, som hon tappar från träden på våren. Ingrid är skogsägare, och när hon skulle iväg på en skogsmässa experimenterade hon fram ett barkbröd. Det blev succé, och med pengar från ett innovationspris har hon investerat i en kvarn för att mala björkens innerbark, som hon också har låtit analysera. Den visade sig innehålla massor av nyttiga mineraler.

Visste du att...

Anledningen till att man äter så mycket tunnbröd i norra Sverige är att man bara kunde odla korn där. Och bröd bakat på kornmjöl blir platt.

Nya landskapsrätten

»Vackert guldgul gratäng med en lätt sälta och fin kryddning av surströmmingen. Passar den inbitne surströmmingsälskaren lika bra som rena nybörjaren. Till detta ett gott tunnbröd med lagrad ost.«

TIPS! TOMATSALLAD
Skala och finhacka 1 liten rödlök.
Halvera och skär 4 tomater i skivor.
Blanda lök och tomat med 1/2 dl
olivolja, 2 msk äppelcidervinäger,
2 krm salt och 2 msk finhackad
persilja.

LAXLÅDA MED SURSTRÖMMING

En låda/gratäng som överraskar. Servera gärna med det lokala Gene tunnbröd.

För 4 personer
400 g skinn- och benfri
   laxfilé
1 burk surströmmingsfilé
   (ca 300 g)
1 kg potatis (fast sort)
20 kryddpepparkorn
15 vitpepparkorn
2–3 msk sirap
2 dl mjölk
2 dl vispgrädde
2 msk ströbröd
50 g smör
salt, smör till formen

Gör så här:
1. Sätt ugnen på 225°C. Skala och skär potatisen
i tunna skivor. Bre ut hälften i en smord ugnssäker
form. Krydda med 1/2 tsk salt.
2. Skär laxen i 1/2–1 cm tunna skivor och lägg dem
ovanpå potatisen. Låt surströmmingen rinna av. Dela
surströmmingsfiléerna och fördela över laxen. Krossa
pepparkornen och strö över. Ringla över sirap och lägg
på resten av potatisen. Krydda med 2 krm salt.
3. Blanda mjölk och grädde och häll över. Täck for-
men med aluminiumfolie eller smörpapper. Ställ in
i ugnen ca 25 minuter.
4. Ta ut formen, strö över ströbröd och klicka på smör.
Grädda ytterligare ca 25 minuter, utan aluminiumfolie,
tills potatisen känns mjuk.
5. Servera gärna med en tomatsallad och hårt tunn-
bröd med lagrad ost och finhackad rödlök.

INGRID HEDSTRÖM ÅLDER: 45 **FAMILJ:** Sambon Ronnie, barnen
Andrea, 22, Erika, 20, Jakob, 19, och Linda, 17. Och bonus-
barnen Helena, 22, och Jenny, 19.
Ingrid bor i Härnösand och är ångermanlänning sedan födseln.
Hon jobbar som personlig assistent och älskar att laga mat.
Men hon tycker också om att gå på fotboll och hockey. Heja
Modo! Lax- och surströmmingslådan hittade Ingrid på utifrån
landskapets råvaror, med en Jansson i tankarna. Vid första
upplagningen var det något som fattades. Hon la till kryddpeppar och sirap, och då blev
det fullträff, tillsammans med en enkel tomat- och löksallad.

GULDBAKELSER

Lina Carlsén, Örnsköldsvik: Det ångermanländska guldet gör sig gott i en liten bakelse. Det går med fördel att använda frysta bär.

Ger 14 stycken
Pajdeg
100 g smör
3 dl vetemjöl
1 1/2 msk vatten
Fyllning och sås
100 g mandelmassa
75 g smör
1 dl vetemjöl
2 msk socker
1/2 tsk vaniljsocker
1/2 tsk bakpulver
2 1/2 dl kesella vanilj
1 ägg
500 g hjortron (2 paket frysta, tinade)
1 msk florsocker
vispgrädde till servering

Gör så här:
1. **Pajdeg:** Skär smöret i tärningar och nyp ihop med mjölet. Tillsätt vattnet och arbeta snabbt ihop till en deg. Dela degen i 14 bitar och tryck ut i små aluminium-former. Ställ formarna i kylen ca 30 minuter.
2. **Fyllning:** Riv mandelmassan grovt. Smält smöret i en kastrull. Rör ner mjöl, socker, vaniljsocker, bakpulver och mandelmassa. Fördela smeten jämnt i formarna.
3. Sätt ugnen på 175°C.
4. Värm kesella och ägg i en kastrull och tillsätt 250 g hjortron (låt dem rinna av om de varit frysta). Toppa formarna med detta.
5. Ställ formarna på en plåt och grädda mitt i ugnen ca 40 minuter. Låt bakelserna svalna.
6. **Sås:** Passera 125 g hjortron (1/2 paket) genom en finmaskig sil. Blanda med florsocker.
7. Garnera bakelserna med resten av hjortronen och servera med såsen. Lite vispad grädde och ett citron-melissblad skänker extra glans till denna guldbakelse.

SMÄLT MÄRGPIPA

Thorsten Laxvik, Edsele: Det lokala naturbetesköttet är både gott och miljösmart. I långkoket blir det oerhört mört och smakrikt.

För 4–6 personer
ca 1 1/2 kg märgpipa
   eller högrev
1 paket bacon (140 g)
3 morötter
500 g kålrot
200 g rotselleri
2 gula lökar
1 liter ale (tex
   Zeunerts ale)
3 msk soja
2 tsk örtsalt
2 dl frysta, tinade tranbär
1 dl socker
ev majsstärkelse
   (Maizena)

Gör så här:
1. Sätt ugnen på 125°C.
2. Putsa köttet och skär det i 3–4 cm stora tärningar. Skär baconskivorna i 3 delar. Lägg bacon och kött i en stor ugnssäker gryta.
3. Skala och skär rotfrukterna i 2–3 cm stora bitar och löken i klyftor. Lägg rotfrukter och lök i grytan och blanda om. Häll i ale, soja och örtsalt.
4. Ställ in i ugnen utan lock 4–6 timmar, tills köttet är riktigt mört. Red ev av skyn med majsstärkelse utrörd i lite vatten.
5. Gaffelmosa de tinade tranbären med sockret tills det lösts upp.
Servera köttet med tranbären och gärna ett gott potatismos.

De ä göt å ätä barfi gåtren

HÄRJEDALEN består till största delen av skog, fjäll och myrmark. Det är Sveriges minsta landskap, räknat i antal invånare, med bara dryga 10 000. Och högst belägna; över 80 procent ligger på över 500 meters höjd över havet.

På sydsluttningarna har man kunnat odla potatis, vinbär och vissa grönsaker, trots det karga klimatet. Kött av älg, ren och hare, och fisk och bär från fjällvärlden, har det funnits god tillgång på. Mjölk och mejeriprodukter har man fått från fäbodvallarna. Samerna har sin sydligaste utpost i Härjedalen. I Mittådalen, vid foten av Flatruet, ligger en av samebyarna.

Idag lever många i landskapet av fjällvärldens tillgångar. Funäsdalen och Ramundberget är välbesökta skidorter, men även fäbodarna har åter blivit populära besöksmål. På sommaren kan man vandra och kanske avsluta med en fika på Våffelbruket på Kariknallarna 1050 meter över havet.

Sveriges enda flock av myskoxar håller till i närheten av Funäsdalen. De kom vandrande från Norge på 1970-talet och har stannat kvar på fjällsluttningarna. Både björn och kungsörn trivs också på vidderna runt Helagsfjället, som är landskapets högsta punkt.

»Fjällbäckarnas kung
lyfts till oanade höjder
med hjälp av den lena
och andäktigt rika
smaken av flötgröt.«

Monica Schwartz Wassén

RÖDING MED FLÖTGRÖT

Flötgröten är en stuvning på grädde och mjöl. Förr var denna kaloribomb festmatens Rolls Royce. Förutom till fisk, vanligtvis öring eller röding, händer det att flötgröten serveras med kanel och socker.

För 4 personer
2 hela urtagna rödingar/öringar
   (à ca 500 g)
1 gul lök
1/2 purjolök
4 dl vispgrädde
1/2 dl vetemjöl
vatten, salt

Gör så här:
1. Koka upp 3 liter vatten med 1 1/2 msk salt.
2. Skala och skär löken i klyftor. Ansa och skär purjolöken i 2–3 bitar. Lägg löken och fisken i vattnet. Sjud fisken försiktigt under lock 8–12 minuter, den är färdig när köttet lossnar från ryggbenet.
3. Koka grädden på svag värme ca 7 minuter.

4. Tillsätt mjölet under vispning, lite i taget. Vispa slätt och låt småkoka 3–4 minuter. Späd ev med vatten till önskad konsistens och krydda med 2 krm salt.
Servera flötgröten med fisken, samt gärna med kokt potatis och citronklyftor.

I skafferiet

Mjölk och mjölkprodukter har alltid varit centrala i det härjedalska kosthållet, och det ansågs fint att kunna bjuda på gräddstuvning, flötgröt. Om inte annat när man fick besök på en avlägsen fäbodvall. Här finns också renkött och annat vilt, ost från både getmjölk och fjällko, korv och skogsdelikatesser som bär och fisk från sjöarna.

RENKÖTT

Den samiska familjen Blindh bor sedan 1940-talet i Härjedalen. Vinterbetet för djuren finns runt Vemdalen, och på sommaren betar de högre upp runt Helagsfjället. 3 000 renar slaktas och förädlas varje år. Djuren kommer från den egna samebyn och grannbyar i Jämtland och Härjedalen. Förädling och försäljning sker i Ljusnedal, där man kan hitta allt från renskav och torrkött till skinn och andra fjällprodukter som fisk och bär.

FÄBODLIV

Familjen Kristoffersson lever traditionellt fäbodliv. När snön töat bort tar de med alla kor och flyttar från gården i Hedevik till Nyvallens fäbod. Fjällkorna får beta fritt på Sonfjällets sluttningar men står i hage nattetid, eftersom det finns gott om björn. I fäboden finns hemkärnat smör, färskost, mese, tunnbröd, tjockmjölk tillverkad med tätört och naturligtvis flötgröt. När gräset vissnar på hösten packar man och åker hem igen.

VILTFARM

Det började med ett vildsvin i 40-årspresent för Astor Hillhage. Idag är han vildsvinsfarmare med ett tiotal suggor som går i hägn på gården i Funäsdalen. Filé, karré och lufttorkad skinka görs i den lilla charkfabriken. Liksom en lufttorkad korv som kan liknas vid salami eller norsk spickekorv.

GETOST

På Herrö getgård någon mil utanför Sveg får de 80 getterna av svensk lantras beta på stora obesprutade marker. Ostar i sortimentet är Herrö special, som är getost marinerad i whisky, Geta, som är fetost i rapsolja, och fjällko-ost.

Det sägs att...

Många äktenskap har sin upprinnelse i dansen efter flötgrötsätningen. Flötgröt var den självklara rätten att bjuda främmande på när de besökte bovallen.

Nya landskapsrätten

»Landskapets 'nationalrätt' våffla görs här på mandelpotatis och toppas med en läcker sallad med rökt sik – såväl mandelpotatisen som siken är goda representanter för det lokala skafferiet.«

MANDELPOTATISVÅFFLA MED SIKSALLAD

En råraka i våffeljärnet. Lättlagat och utan onödigt os. Siken kan ersättas med annan rökt laxfisk då den kan vara svår att få tag i.

För 4 personer
800 g mandelpotatis
1 ägg
Siksallad
500 g rökt sik
1 ägg
1 liten fänkål
4 rädisor
1 äpple, gärna syrligt
3 tsk grov, osötad senap
2 msk flytande honung
3 msk grovskuren dill
2 kokta ägg
smör
kallpressad rapsolja
salt, vitpeppar

Gör så här:
1. Skala och grovriv potatisen. Skölj den väl under rinnande vatten.
2. Låt rinna av i ett durkslag. Krama ut vätskan väl. Använd gärna en handduk för att få potatisen torr.
3. Blanda potatisen med ägg, 3/4 tsk salt och 1 krm peppar.
4. **Siksallad:** Koka ägget 5–6 minuter. Kyl, skala och skär det i 4 klyftor. Rensa siken fri från skinn och ben. Dela i mindre bitar.
5. Ansa fänkålen och skär den i tunna skivor/strimlor. Skär rädisorna i tunna skivor.
6. Dela, kärna ur och skär äpplet i strimlor. Vispa ihop senap och honung med 3 msk olja, 2 krm salt och 1 krm peppar. Blanda äpple, fänkål, rädisor och dill med dressingen. Vänd ner siken.
7. Pensla ett våffeljärn med smör och grädda 4 våfflor av smeten tills de fått färg och är knapriga.
8. Servera våfflorna nygräddade med siksalladen. Garnera med äggklyftor.

KARIN SEGERSTRÖM ÅLDER: 33 FAMILJ: Sonen Axel, 3. Karin bor i Täby norr om Stockholm och är uppvuxen där. Men hon har tillbringat mycket tid i Härjedalen. I princip varje vinter har hon varit i Funäsdalen med familjen, både som barn och som vuxen. Hon är inspirerad av de svenska råvarorna som kommer därifrån och har ett stort matintresse. Karin gick hotell- och restauranglinjen på gymnasiet. Idag är hon också utbildad lärare och arbetar på en förskola. Ett stort intresse är att läsa kokböcker, och hon försöker laga nyttig, näringsrik mat, som fisk i alla former. Men just nu är det lite knepigt att bjuda Axel, för han är i trotsåldern. Karin förknippar Härjedalen och skidåkning med goda våfflor, och mandelpotatisen och rökt sik har varit med under uppväxten. Så det här blev en klockren kombination.

SALVIAKRYDDADE RENJÄRPAR

Anders Håkansson, Vemhån: Ren och getost, från det lokala skafferiet, samsas fint med en persiljesallad av mellanösternsnitt.

För 4 personer

400 g ren- eller annan
  viltfärs
1 gul lök
2 msk hackad färsk
  salvia
1 dl vispgrädde
olja
salt, svartpeppar

Getostcrème

200 g getfärskost från
  tex Herrö getgård
  (eller 100 g naturell
  färskost och 100 g
  smulad chèvre)

1 dl matyoghurt (10 %)
2 msk honung

Persiljesallad

3 dl grovhackad
  persilja
2 tomater
1 vitlöksklyfta
1 citron
1 burk matvete durum
  (ca 400 g)
2 msk torkade
  tranbär
3 msk kall-
  pressad rapsolja

Gör så här:

1. Getostcrème: Blanda färskosten med matyoghurt, honung och ev smulad chèvre. Smaka av med 2 krm salt och 1 krm peppar. Ställ kallt.

2. Järpar: Sätt ugnen på 150°C.

3. Skala och finhacka löken. Blanda färs, lök, salvia, grädde, 1 tsk salt och 3 krm peppar.

4. Dela färsen i 8 bollar. Forma varje färsboll runt ett grillspett till en avlång »järpe«.

5. Stek/grilla spetten runt om i omgångar, ca 2 minuter, i en het, lättoljad stek-/grillpanna. Lägg över dem på en plåt med bakplåtspapper och tillaga i ugnen ca 10 minuter.

6. Persiljesallad: Dela och kärna ur tomaterna. Skär dem i små tärningar. Skala och finhacka vitlöken.

7. Riv skalet från halva citronen. Dela och pressa juice ur ena halvan. Häll av matvetet.

8. Blanda tomat, vitlök, citronskal och 2 msk citronjuice med persilja, matvete, tranbär och rapsolja. Krydda med 1/2 tsk salt och 1–2 krm peppar.

Servera spetten med salladen och getostcrèmen.

LINGONMOUSSE

Ida Holm, Frösön: En len, syrlig mousse som balanseras fint av den söta och knäckiga karamellen.

För 8 personer

2 gelatinblad
4 dl lingon (ca 250 g)
1 dl + 2 msk socker
1 äggvita
3 dl vispgrädde
Kardemummakaramell
2 dl socker

1 dl vatten
1 krm färskpressad
  citronjuice
1/2 tsk stötta karde-
  mummakärnor
2 msk finhackade,
  rostade pistaschnötter

Gör så här:

1. Lägg gelatinbladen i kallt vatten 5 minuter.
2. Mixa lingon och 1 dl socker med stavmixer eller matberedare. Värm upp blandningen i en kastrull. Ta kastrullen från värmen och tillsätt gelatinbladen under omrörning. Låt svalna.
3. Vispa äggvita och 2 msk socker till ett fast skum. Vispa grädden. Blanda ner lingonblandningen i grädden och vänd sedan ner äggvitan försiktigt. Fördela i portionsglas och ställ i kylen 3–4 timmar.
4. **Kardemummakaramell:** Blanda socker, vatten och citronjuice i en liten kastrull. Koka utan att röra om tills karamellen fått en gyllenbrun färg.
5. Ta från värmen och tillsätt kardemummakärnorna. Häll ut karamellen på bakplåtspapper och bre genast ut den så tunt som möjligt med en sked. Strö över pistaschhacket. Låt kallna.
6. Knäck karamellen i bitar.
7. Servera moussen med kardemummakaramell och gärna en havrebiskvi.

TIPS! **HAVREBISKVI**
Sätt ugnen på 200°C. Blanda 75 g rumsvarmt smör, 1/2 dl farinsocker, 1 dl havregryn, 1 1/2 dl vetemjöl och 2 msk hackade torkade tranbär eller russin. Dela upp degen i 16 små bitar. Rulla varje bit till en boll och platta till. Lägg dem på en bakpappersklädd plåt. Grädda 10–12 minuter i ugnen.

Du ske fel it ata bare sevle, du jet ata bröato

JÄMTLAND Fjäll i väster, jordbruksmark runt Storsjön och barrskog i öster. I Jämtland finns oröd vildmark med varg, järv och lo. Älgen har jagats sedan stenåldern, och varje år skjuts flera tusen. Jämtland är storslagen natur och småskalig livsstil med bymejerier, hembagerier och viltfarmar. Turismen har ökat i betydelse alltsedan de första »luftgästerna« kom på 1800-talet för att andas den friska luften och njuta av naturskönheten. Idag är det vandring, skidåkning, cykling och fiske som gäller. Och numera även mat och dryck. Den ursprungliga självförsörjningen har förvandlats till små rörelser, där brödugnarna går heta och fjällkornas mjölk blir till ostar av olika slag på lokala mejerier. Av älgen blir det korv och torkat kött. Bär, svamp och örter kommer från skogar, myrar och fjällängar.

Jämtland bjuder på många kontraster. Grått fäbodtimmer och skogskojor möter jaktslott i glömda fjälldalar. Ursprung och vildmark möter cool design och nytänkande i Åre. Det är ripjakt och älgspår i snön, marknad och orkidéängar. Och den största kontrasten av alla; där thaipaviljongen i Ragunda möter samebyar och renar.

> »En äkta jämtlänning
> har bara en favoriträtt –
> älgstek me peran
> å sausen!«
> *Kajsa Rasmusson*

ÄLGSTEK MED MURKLOR

Älgen är Jämtlands landskapsdjur, och en tiondel av alla älgar som skjuts i Sverige kommer från de jämtländska skogarna. Så en marinerad älgstek serverad med frästa murklor är Jämtland i ett nötskal. Tunna skivor ska det vara och potatis och sås till.

För 4–6 personer
1 1/2 kg älgstek
  (tex av innanlår)
1 gul lök
1 morot
1 palsternacka
100 g rotselleri
1 dl rött vin
5 dl vatten
1 msk konc
  viltfond

3 lagerblad
10 svartpeppar-
  korn
4 timjankvistar
1 burk murklor
  (ca 110 g)
2 dl vispgrädde
1/2 msk majsstär-
  kelse (Maizena)
olja till stekning
salt, peppar

Gör så här:
1. Bryn köttet runt om i olja i en medelstor kastrull tills det fått fin färg. Lyft upp köttet på ett fat.
2. Skala lök och rotfrukter. Skär i mindre bitar. Bryn grönsakerna i olja i kastrullen.
3. Lägg tillbaka köttet och häll i vin, vatten och fond. Koka upp och skumma av med en sked.
4. Sänk värmen, lägg i kryddorna och sätt på locket. Låt köttet sjuda på svag värme tills in-nertemperaturen är ca 70°C, ca 1 1/4 timme.
5. Lyft upp köttet och håll det varmt. Sila av stekskyn i en kastrull. Koka ihop skyn tills det är ca 3 dl kvar.
6. Låt murklorna rinna av. Finhacka dem och fräs i 1 msk smör. Tillsätt skyn och grädde. Red med majsstärkelse. Smaka av med salt och peppar.
7. Skär steken i skivor och servera med sås, kokt potatis, gelé eller rårörda bär och lätt-kokta grönsaker, tex morot och haricots verts.

I skafferiet

I republiken Jämtland är man stolt över sitt ursprung, och lokalpatriotismen är stark. Det är ingen hejd på idéerna, som präglas av både traditioner och inspiration från all världens kulturer. Här finns chilipraliner, älgsalami, getostspäckad tournedos eller en hederlig lingonlimpa med granbarksost.

HAVTORN

Havtorn kallas Nordens passionsfrukt och sägs vara ett av världens nyttigaste bär, med massor av vitaminer och antioxidanter. Det är gott också med sin perfekta avvägning mellan sötma och syra. Tina Lindberg är både odlare och bärförädlare. Under namnet JämtTinas havtorn tillverkar hon allt från havtornsgelé med portvin till marmelader, te och havtorns-huttar. Idag har hon 370 buskar, och planen är att komma upp i 3 ton bär i framtiden.

ÖL

Jämtlands bryggeri i Pilgrimstad är ett av landets minsta bryggerier men vinner ändå många medaljer i öltävlingar. De tio ölsorterna görs för hand.

SOM FÖRR

I ett gammalt spannmålsmagasin norr om Åreskutan ligger Fäviken Magasinet, som drivs utifrån självhushållningsidén på svunna tiders fjällgårdar. Mat lagas över öppen eld, gårdens hönor bjuder på frukostägg, fisken kommer från den näraliggande sjön och efter maten serveras kokkaffe från mässingspanna. Snittblommor och örter kommer från kvannegården, och i kökslandet odlas rotfrukter, lök och kål.

Visste du att...

Eldrimner i Jämtland stödjer småskaliga livsmedelsförädlare över hela Sverige, genom att lära ut hantverket kring utsökta matprodukter.

SKÄRVÅNGENS BYMEJERI

I den fjällnära byn Skärvången driver några lantbrukarfamiljer ett bymejeri, där de tar hand om mjölken från sina fjällkor och getter. De är kända för sina goda dessertostar. Idag får de 500 000 liter komjölk om året och nästan lika mycket getmjölk. En nyhet är den torkade getmesekryddan som kan användas vid bakning och matlagning.

BUBBEL

Sav är ett exklusivt mousserande vin gjort på björksav. Det är slow food, klimatvänligt och en påminnelse om att det går att nyttja skogen till annat än pappersmassa.

HUSÅ BRÖD

I Huså bakas knäckebröd i olika former, hussini (Husås variant på grissini) och kex med smak av kardemumma. Tapaskex är ett sätt att möta kundernas efterfrågan.

STORSJÖYRAN i Östersund är Sveriges största gatufestival.

Nya landskapsrätten

»Ljuvliga dofter av svamp och kryddor samspelar med vilt, som finns i överflöd i de jämtländska skogarna. En stadig rätt som passar en jämte som tillbringat en dag i naturen.«

TIPS! HIMMELSKT MOS

Skala och koka 1 kg potatis i lättsaltat vatten. Häll av och mosa med stomp eller visp. Blanda i 4 dl riven himmels-raftenost från Oviken (eller annan lagrad ost, tex appenzeller), 2 1/2 dl varm mjölk, 75 g smör, 1 tsk salt och 2 krm peppar.

JÄMTLÄNDSK VILTGULASCH

Som alltid vinner en gryta på att lagas i god tid – gärna en dag eller två innan den ska avnjutas. Moset ska däremot göras så sent som möjligt.

För 6 personer

ca 1 1/2 kg högrev av vilt,
   t ex älg
2 gula lökar
2 vitlöksklyftor
7 dl trattkantareller
1 kanelstång
1 msk paprikapulver
2 tsk timjan
2 tsk stött kummin
1 tsk sambal oelek
1 msk soja
1 liter vatten
2 msk konc viltfond
1 dl konc svartvinbärssaft
ev majsstärkelse
   (Maizena)
ev 1/2–1 dl svarta vinbär
smör, rapsolja
salt, svartpeppar

Gör så här:

1. Putsa köttet. Skär det i 2–3 cm stora bitar och bryn i omgångar i 2 msk smör och 2 msk olja i en stekpanna. Lägg över i en rymlig gryta efter hand.
2. Skala och finhacka lök och vitlök. Fräs lök, vitlök och svamp i 1 msk smör i en stekpanna. Lägg lök, vitlök, svamp, kanelstång, paprikapulver, timjan, kummin och sambal oelek i grytan. Häll på soja, vatten, fond och svartvinbärssaft. Rör om och koka upp.
3. Låt grytan sjuda på svag värme under lock 1 1/2–2 timmar, tills köttet är riktigt mört. Red ev av med majsstärkelse utrörd i lite vatten. Smaka av med 1 tsk salt och 2 krm peppar.
4. Tillsätt ev svarta vinbär precis före servering.
5. Servera grytan med moset och gärna gulaschtillbehör såsom gräddfil, saltgurka och syltlök.

ELISABETH ELIASSON ÅLDER: 50 **FAMILJ:** Maken Figge och barnen Gustav, 18, och Amanda, 16.
Elisabeth bor i Sällsjö utanför Åre. Hon kommer från Östersund och är jämtlänning i många led. Elisabeth jobbar på värdshuset på riksanläggningen Vången (gymnasieskola inom trav och islandshästar). Det är mycket planering och inte så mycket matlagning, så hon lagar gärna mat hemma. Hon gillar medelhavsmat och grönsaker, och gör all pasta själv. Även till vardags! Hennes jämtländska gulasch innehåller älgkött och svarta vinbär, råvaror som hon ofta har i frysen. Elisabeth uppskattar småskalig matproduktion, så i moset har hon använt en ost från sitt lokala gårdsmejeri.

TIPS! Använder du torkad blodriska? Lägg i blöt, gärna i mjölk så att ev beskhet försvinner. Fräs löken i smör, tillsätt sedan den blötlagda svampen och fortsätt att fräsa. Tillsätt ev lite vatten om det känns torrt.

JÄMTPIZZA MED SVAMP

Karin Wassdahl, Hammerdal: Pizza har blivit husman. Här är en med många lokala inslag. Landskapssvampen blodriska från Ingmos naturprodukter, skinka från Fågelbergets gårdschark och vit caprin från Skärvångens bymejeri.

Ger 12 små pizzor
3 dl vatten
6 dl vetemjöl special
1/2 paket torrjäst (6 g)
olivolja, smör
salt, svartpeppar
Topping
1 1/2 liter blodriska eller
   trattkantareller
4–5 schalottenlökar
3 tomater
150 g kallrökt skinka
1 dl hackad persilja
1 dl chilisås (ketchuptyp)
300 g getost
1/2 dl repad oregano
1/2 påse rucola (35 g)

Gör så här:
1. Värm vattnet till ca 40°C.
2. Blanda mjöl, jäst, 2 krm salt och 2 msk olja med det varma vattnet.
3. Arbeta degen i en hushållsmaskin ca 10 minuter, eller knåda för hand ca 15 minuter. Låt degen jäsa övertäckt ca 30 minuter.
4. Sätt ugnen på 225°C. Skala och finhacka löken. Dela och kärna ur tomaterna. Skär skinka och tomat i tärningar.
5. Ansa och skär svampen i bitar. Fräs svampen tills all vätska kokat bort. Tillsätt 1 msk smör och fräs 2–3 minuter. Tillsätt löken och fräs ytterligare ca 3 minuter.
6. Ta från värmen och blanda i persilja samt skink- och tomattärningar. Krydda med 1 tsk salt och 1/2 tsk peppar.
7. Skär degen i 12 bitar och kavla ut till tunna, runda bottnar (12–15 cm i diameter). Lägg på plåtar med bakplåtspapper.
8. Bre ut chilisåsen och fördela svampblandningen över.
9. Riv eller smula getosten. Toppa pizzorna med getost och oregano. Droppa över lite olivolja och grädda i omgångar mitt i ugnen ca 10 minuter. Garnera med rucola.

JÄMTLÄNDSK TIRAMISU

Barbara Undmark, Rönninge: De jämtländska hjortronen i form av likör och mylta sätter lokal prägel på denna italienskt inspirerade dessert.

För 6–8 personer
2 dl vispgrädde
1 1/2 dl kesella (10 %)
2 ägg
5 msk socker
1 färdig sockerkaka
   (350 g)
1/2 dl hjortronlikör
1 1/2 dl starkt bryggkaffe
   eller espresso
2 msk kakao eller riven
   choklad
Hjortronmylta
250 g frysta, tinade
   hjortron
1 1/2 msk socker

Gör så här:
1. Vispa grädden och blanda med kesellan.
2. Dela äggen i gulor och vitor. Vispa äggulor och socker pösigt. Blanda äggulesmeten med gräddblandningen.
3. Vispa äggvitorna till ett hårt skum och vänd försiktigt ner dem i gräddblandningen.
4. Skär sockerkakan i cm-tjocka skivor. Blanda hjortronlikör och kaffe. Pensla skivorna med kaffeblandningen.
5. Lägg ett lager kakskivor på bottnen i en avlång form, ca 1 1/2 liter, eller fördela i 6–8 portionsformar. Bre på ett lager smet. Varva sedan kaka och smet. Avsluta med ett lager smet. Låt stå minst 1 timme i kylen.
6. **Hjortronmylta:** Rör ihop hjortronen med sockret tills det lösts upp.
7. Pudra kakao eller strö riven choklad över formen/formarna och servera med hjortronmyltan.

Soppen he töitj herrskape å koen om

VÄSTERBOTTEN präglas som resten av norra Sverige av ljusa sommarnätter och bitande kalla vinterdagar. Här har människan länge levt av fiske och jakt, främst älg. Idag är skogsbruk, vattenkraft och malmbrytning viktiga näringar i Västerbotten. Skelleftefältet är ett av världens mineralrikaste områden, med gynnsamma förhållanden för gruvbrytning. 1924 gjordes ett uppseendeväckande malmfynd som utvecklades till gruv- och smältningsföretaget Boliden. Fyndigheten innehöll bland annat guld, silver och koppar.

I Västerbotten finns kustland och inland, med sjöar och vidsträckt skog, men tvärtemot vad många tror finns inga fjäll. Om du lyssnar på Evert Taubes »Änglamark« kan du se den västerbottniska naturen framför dig, för han skrev visan med Vindelälven i åtanke. En av de sista outbyggda älvarna.

På myrmarkerna växer hjortron och tranbär. Det är bördigast vid kusten, och det är där de flesta är bosatta. Både korn, gräs och klöver har odlats på änget, men boskapsskötseln var viktigare eftersom klimatet gjorde jordbruket till en osäker födokälla. Havet har alltid erbjudit ett gott fiske, även säl i gamla tider. Umeå har ett universitet och ett intensivt student- och kulturliv. Och inget Västerbotten utan västerbottensost.

»Middag, buffé, varm eller kall – en västerbottenspaj får alltid gästerna på fall!«
Ann-Margret Hammarberg

VÄSTERBOTTENSPAJ

Västerbottenspajen består av ett klassiskt mördegsskal fyllt med äggstanning och riven västerbottensost. Den passar lika bra som förrätt med en grönsallad till som på buffébordet. Hur länge man har gjort paj med västerbottensost är det ingen som vet, men att det är en ost som passar i matlagning är väl känt. Osten har både styrka och sälta som ger karaktär.

Ger 10–12 bitar
2 1/2 dl vetemjöl
1 dl grahamsmjöl
150 g smör
2 msk kallt vatten
1 ägg till pensling

Fyllning
4 dl mjölk
2 dl vispgrädde
350 g väster-
bottensost (riven)
6 ägg
salt, svartpeppar

Gör så här:
1. Sätt ugnen på 200°C. Hacka ihop vetemjöl, grahamsmjöl, 1/2 tsk salt och finfördelat smör, gärna i matberedare. Tillsätt vattnet. Arbeta snabbt ihop till en deg.
2. Tryck ut degen i en pajform, ca 30 cm i diameter. Gör kanten hög. Nagga degen och låt den vila i kylskåpet 30 minuter. Vispa upp ägget och pensla skalet.
3. Förgrädda pajskalet 10 minuter. Ta ut pajen och sänk värmen till 150°C.

4. Koka upp mjölk och grädde, ta av från värmen. Blanda i osten, rör om tills den har smält.
5. Vispa ner äggen i ostblandningen. Krydda med 1 tsk salt och 2 krm svartpeppar. Häll fyllningen i pajskalet. Grädda pajen ca 45 minuter. Servera gärna med t ex kräftstjärtar, kallrökt lax och löjrom.

I skafferiet

Här finns älg och rådjur, svamp och bär från skogens skafferi. I älvarna och havet finns lax, havsöring, sik, gädda och abborre. Getter, lamm och kor bidrar med sitt, och med rätt marknadsföring kan de kanske bli lika kända som västerbottensosten.

SKOLODLAT

Forslundagymnasiet strax utanför Umeå är inriktat på naturbruk, och de odlar allt från potatis till blommor. I gårdsbutiken kan man köpa skolans odlade produkter som tomater, gurka, paprika (det mesta ekologiskt) och lokalproducerad getost, kornmjöl och tunnbröd.

LAMM!

Efterfrågan på lammkött har ökat, och genom projektet Västerbottens-lamm ska fåräggarna samarbeta för att kunna erbjuda lokalt lammkött, berättar Sybil Sundling, som själv har gården Oxviken. Det är en liten ekologisk lantgård med fårhållning, grönsaksodling och ägg från egna hönor och vaktlar, vackert belägen i Tavelsjö.

VÄSTERBOTTENSOST

Det var en stressig dag och den unga mejerskan Eleonora Lindström arbetade ensam i mejeriet. Flera gånger avbröt hon omrörningen av osten och värmde upp massan på nytt, men hon förde noggranna anteckningar över allt. Resultatet blev inte som tänkt, men hon ville inte slänga osten utan lät den ligga kvar på lagret. När osten till slut provsmakades visade den sig ha en unik styrka och smak. Västerbottensosten var född, och kanske ska man tacka den unge drängen som »störde« Eleonora i arbetet för den lyckosamma produktutvecklingen…

LIMOUSIN

På Åbrånet förädlas kött från limousinkossor, en biffras som härstammar från Frankrike och som trivs på de västerbottniska ängarna. I gårdsbutiken finns lufttorkat kött, rökta produkter, korv och färskt kött.

Visste du att...

Svamp i norr köper in vildväxande svamp från auktoriserade plockare och förädlar genom torkning och inläggning allt från rimskivling (Västerbottens landskapssvamp) till fårticka. Goliatmusseronen är väldigt populär i Japan, så den får de skicka långt. Annat gott från skogen är inlagda granskott, hjortronsylt med chili och älgörtssirap.

OST OCH MESE

På Högås getagård i Vindeln framställs biodynamisk getost och mese från gårdens 30 getter.

FISKARN I UMEÅ

Fiskarn, det är Rune Lundström det, legitimerad yrkesfiskare som tar upp sik, abborre och strömming som förädlas av svärsonen till bland annat olika strömmings-inläggningar. Laxen köper de lokalt när det finns tillgång.

Nya landskapsrätten

»En modern variant av den älskade palten som kryddas med landskapets oststolthet. Här ackompanjerad av ren västerbottnisk lyx. Denna vackra förrätt kommer garanterat att locka såväl norrlänningar som fransmän.«

TIPS! MEDELHAVSPALT
Stick ner 6 grovhackade soltorkade
tomater och några färska basilikablad
i muffinsen. Strö över riven ost.
Servera med parmaskinka eller suovas.

PALTMUFFINS MED LYXIGA TILLBEHÖR

Palten blir mycket lättlagad i muffinsplåt. Den får också extra smak av att ugnslagas. Paltmuffins kan även serveras som tillbehör till en huvudrätt.

Ger 12 stycken
600 g potatis
1 1/2 msk kornmjöl
2 msk vetemjöl
1 tsk bakpulver
1 krm malen muskot
2 ägg
2 + 2 dl riven väster-
   bottensost
smör
salt, svartpeppar

Till servering per person
50 g kallrökt lax i skivor
1 msk crème fraiche
1 msk löjrom
1 msk finhackad rödlök
1 citronklyfta

Gör så här:
1. Sätt ugnen på 200°C.
2. Skala och riv potatisen fint. Lägg i en bunke. Blanda kornmjöl och vetemjöl med bakpulver, muskot, 1 tsk salt och 1 krm peppar.
3. Rör ner äggen i potatisen. Tillsätt mjölblandningen och 2 dl riven ost. Blanda väl. Låt stå ca 10 minuter.
4. Smörj en muffinsplåt (för 12 muffins) med smör. Fyll upp med smeten till 2/3 i varje form. Strö över resten av den rivna osten.
5. Ställ in i ugnen ca 20 minuter, tills muffinsen är gyllenbruna och blivit lite frasiga.
Servera med tillbehören.

ANNIKA MARTINSSON ÅLDER: 51 **FAMILJ:** Maken Olof, barnen Calle, 23, Olle, 21, och Ebba, 20, och bonusbarnen Magnus, 23, och Maria, 21.
Annika bor i Skellefteå och arbetar som musiklärare. Men hon är född i Dalarna och har bott över hela Sverige. Eftersom hon har tre idrottande barn har hon alltid försökt laga närings-riktig, bra mat, och det har varit viktigt att samla familjen vid middagen. »Alla norrlänningar tycker om palt, men inte jag!«, säger Annika, och det var därför hon hittade på paltmuffins med västerbottensost, som hon tycker är mycket godare.

CANNELLONI À LA BURTRÄSK

Lena Hjeltman, Johanneshov: Innovativt och nyskapande. Få ingredienser som lyfter denna dessert till sköna höjder.

För 4 personer
- 1 paket färska lasagne-plattor (200 g)
- 2 1/2 dl hjortronsylt
- 1 paket frysta, tinade hjortron (ca 250 g)
- 1 1/2 dl riven väster-bottenost
- 30 g smör (kallt) + smör till formen
- 1/2 liter vaniljglass
- 2–3 msk hackade pistaschnötter

Gör så här:
1. Sätt ugnen på 225°C.
2. Blanda sylten med hjortronen. Klicka ut ca 3/4 dl av hjortronblandningen på varje lasagneplatta. Rulla ihop och lägg tätt med skarven ner i en smord ugnssäker form.
3. Strö den rivna osten och hyvla smöret över rullarna.
4. Ställ in i ugnen ca 15 minuter, tills osten smält och fått lite färg.
5. Servera cannellonin med glass och hackade pistaschnötter. Pudra gärna över lite florsocker.

CHILIKRYDDAD RENFILÉ

Malin Falkman, Bureå: Den möra renfilén får spännande smak då enbär, vitlök och rosmarin blandas med rökig chipotlepaste.

För 4 personer
600 g renfilé
4 vitlöksklyftor
1/2 msk enbär
1/2 msk chipotlepaste
1 msk finhackad
  färsk rosmarin
smör
salt, peppar
Potatiskaka
600 g mandelpotatis
2 morötter
3 ägg
2 msk hackad persilja
1 msk konc grönsaks-
  fond
75 g riven väster-
  bottensost eller
  krutröksost

Gör så här:
1. Skala och finhacka vitlöken. Stöt enbären i en mortel och hacka dem grovt. Blanda vitlök och enbär med chipotlepaste och rosmarin.
2. Putsa renfilén. Gnid in köttet med kryddblandningen.
3. Bryn filén runt om i 1 msk smör. Lägg över i en ugnssäker form. Stick in en köttermometer i den tjockaste delen. Ställ åt sidan.
4. Potatiskaka: Sätt ugnen på 175°C. Skala och riv potatis och morot grovt. Blanda med ägg, persilja, fond, 1 tsk salt och 1 krm peppar.
5. Lägg allt i en smord ugnssäker form, ca 20x30 cm, och strö över riven ost. Ställ in i ugnen 40–45 minuter.
6. Ställ samtidigt in köttet. Ta ut köttet när innertemperaturen är 58°C. Linda

in det i smörpapper och låt vila 5–10 minuter.
7. Skär köttet i skivor och servera med potatiskakan. Lingonchutney eller rårörda lingon är gott till. Servera gärna med någon grönsak med tuggmotstånd, tex primörmorötter.

TIPS! LINGONCHUTNEY
Skala, halvera och skär 1 rödlök i strimlor. Hacka 200 g torkade fikon. Dela, kärna ur och finhacka 1 röd chilifrukt. Koka ihop 1 dl balsamvinäger och 1 dl mörkt muscovadosocker i en kastrull ca 3 minuter. Tillsätt lök, fikon, chili samt 1 tsk timjan, 1 msk hackad persilja, rivet skal + juice av 1 apelsin (gärna blodapelsin). Låt sjuda ca 5 minuter. Ta från värmen och rör i ca 2 dl lingon och 2 krm salt. Låt svalna.

Eta först, saar båond´n då båsta brann

NORRBOTTEN gränsar mot Östersjön och Finland i norr. Större delen av landskapet täcks av barrskog, och det finns höga fjäll, djupa sjöar och vattenfall. Ut mot kusten forsar älvar. I Kukkolaforsen kan man se fiske bedrivas med fångstanordningar som på 1500-talet. I Luleå finns den största skärgården norr om Stockholm med flera tusen öar och skär, och Pite havsbad brukar kallas för Norrlands riviera.

Malm, vattenkraft och skogsbruk har varit levebröd för generationer norrbottningar, men det är ändå jakt och fiske som har varit grundsysselsättningen för detta sega släkte. Här ska man stå ut med kyla och mygg. Klimatet är bistert och årstiderna ger kraftiga växlingar från de mörka vinterdagarna till de ljusa sommarnätterna.

Runt Torne älv, som flyter mellan Norrbotten och Finland, finns Sveriges nordligaste jordbruksområde med jordgubbar, vinbär, potatis och grönsaker. Sommaren är kort men midnattssolen ger många ljusa timmar. I strandskogen växer pors, havtorn och åkerbär. Den gnissliga kaffeosten med anor från norra Finland äts i små bitar till kaffet.

IKEA
Världens nordligaste varuhus ligger i Haparanda.

JÄGARNA,
Grabben i graven bredvid, Pistvakt... spelades in i Norrbotten.

8 ELEVER
tas in vartannat år på Teaterhögskolan i Luleå, som är Sveriges nordligaste.

Polarbröd i Älvsbyn startade med ett kafé och procucerar idag 40 000 ton bröd per år.

»Potatis, mjöl, fläsk
och salt – det är allt.
Men det blir en underbart
god pitepalt.«
Berit Lundgren

PITEPALT

De runda bullarna av råriven potatis och korn- och vetemjöl fylls med rimmat fläsk och får sedan koka långsamt i en stor paltgryta. De serveras med kallt smör, som smälter ner över palten, och lingon. Varning för paltkoma.

För 4 personer
1 kg potatis
200 g rimmat sidfläsk
1 dl kornmjöl
2 dl vetemjöl
salt

Gör så här:
1. Skala och riv potatisen fint. Låt rinna av ordentligt i en sil eller i ett durkslag. Skär fläsket i små tärningar.
2. Blanda potatisen med korn- och vetemjölet och 1 1/2 tsk salt, börja med en mindre mängd mjöl och tillsätt mer om det behövs. Degen ska vara ganska fast.
3. Skär degen i 12 bitar. Gör en fördjupning i varje. Lägg i ca 1 msk fläsktärningar, nyp ihop och forma till runda bollar.

4. Koka upp lättsalt vatten i en stor kastrull.
5. Lägg försiktigt i hälften av paltarna med hjälp av en hålslev och rör försiktigt om så att de inte fastnar på bottnen. Låt dem småkoka 45–60 minuter.
6. Ta upp med hålslev och varmhåll. Tillaga resten.
Servera gärna med lingonsylt och lite smör som får smälta på palten.

I skafferiet

Norrbotten har ett rikt skafferi av råvaror med lyxkänsla: löjrom, hjortron, åkerbär, ripa… Men det finns även helt andra traditioner, påverkade av ett hårt liv med jakt och fiske. Här pratar vi kaffeost och kokkaffe, älgkött och palt, lingonsylt och tunnbröd.

PALT, NÅGON?

Paltzerian i Öjebyn är Sveriges enda palt-restaurang. Där serveras gräddstuvad palt, stekt flatpalt med hjortronsylt och traditionell pitepalt med fyllning av fläsk. Bland annat. År 2000 sattes rekord utanför Paltzerian med 1 500 serverade portioner.

LYXIG LÖJROM

Kalixlöjrommen kommer från siklöjan som lever i Bottenvikens bräckta vatten. Man har ansökt om ursprungsskydd för att särskilja den från andra romsorter, och den har blivit populär även utanför Sveriges gränser. En löjromstoast anses av många vara höjden av lyx. Rommen utvinns samma dag som siklöjan fiskas, och sköljs och saltas därefter.

INTE BARA MANDEL…

På Outinens potatis förvaltas sedan 1950-talet idén om att vi gärna äter potatis men kanske inte alltid har tid att koka den. Av deras egenodlade potatis tillverkas potatisgratäng, förkokt potatis och många andra färdigprodukter. Potatiskvaliteten i Norrbotten är den allra bästa, vilket har med de ljusa sommarnätterna att göra. Cellulosahalten blir låg, vilket ger bra smak och kortare koktid. Dessutom behöver man inte använda så mycket bekämpningsmedel i norr.

CHIPS AV MANDELPOTATIS

Mandelpotatis är inget nytt i Norrbotten, men knapriga chips av densamma är det. Jonssons mandelpotatischips tillverkas i byn Långträsk, och potatisen odlas på gården. Vuxet fredagsmys blir det med smaker som Vildmark med peppar och svamp och Midnattssol med dill och rotfrukter. Med en klick löjrom på blir det en lyxig förrätt.

Visste du att…

Norrlands landskapsblomma är ett bär. Åkerbär har en doftande lilarosa blomma, och bäret smakar som en blandning mellan vildhallon och smultron.

PALTKOMA

Man drabbas lätt av paltkoma efter en rejäl paltlunch. Helt enkelt ett tillstånd av kroppslig utmattning och andligt välbefinnande, som leder till akut sömnighet. Efter någon timmes vila brukar det lätta.

RYBSOLJA FRÅN AVAN

Rybs har odlats i byn Avan vid Lule älv sedan 2006 och pressats till den nötsmakande gyllene oljan. Rybsen mognar lite fortare än raps och trivs därför utmärkt trots det lite kärva klimatet. De ljusa sommarnätterna bidrar förstås också. Rybsoljan säljs i byns två gårdsbutiker och lokala butiker.

DRIVA PÅ FRUSEN ÄLV

En läcker mousse med smak av långfil och svarta vinbär som serveras med limesmakande vit choklad, så kallad limeganache.

För 4 personer
1 dl konc svartvinbärs-
   saft
2 gelatinblad
1 1/2 dl vispgrädde
1 1/2 dl långfil
1 tsk vaniljsocker
svarta vinbär till
   garnering
Limeganache
30 g vit choklad
rivet skal av 1/2 lime
1/2 dl vispgrädde

Gör så här:
1. Lägg gelatinbladen i kallt vatten 5 minuter. Vispa grädden fast, den får inte vara för lös. Värm hälften av saften i en liten kastrull. Ta från värmen.
2. Ta upp gelatinbladen och rör ner i den varma saften.
3. Blanda långfil, vaniljsocker och resten av saften i bunke. Rör ner gelatinblandningen. Blanda väl. Vänd försiktigt ner den vispade grädden till en slät blandning.
4. Fördela moussen i 4 glas eller portionsformar. Täck med plastfolie. Ställ kallt i minst 4 timmar.
5. **Limeganache:** Finhacka chokladen. Koka upp grädden med limeskalet. Ta från värmen och rör ner den hackade chokladen. Rör om tills allt är väl blandat. Låt svalna.
6. Häll smeten i en liten bunke och täck med plastfolie, ställ i kylen ca 3 timmar.
7. Ta fram ganachen och vispa den fast men inte hård. Fyll ev en spritspåse med ganachen och spritsa över moussen, eller klicka på den. Garnera med svarta vinbär och gärna kanderade limeskal.

SOFIA HAGEBACK ÅLDER: 29 **FAMILJ:** Mamma, pappa och fyra syskon.
Sofia bor i byn Huuki, som har finsk stavning eftersom den ligger så nära finska gränsen. Familjen har bondgård med massor av får. Sofia är utbildad religionsvetare och bevakningssoldat och söker just nu jobb. Sofias matintresse är extremt på alla sätt, enligt familjen. Hon bakar och lagar mat i kopiösa mängder hemma och har gjort hundratals recept som hon samlat till en kokbok; hälsokost och traditionell mat, med mycket vilt och grönsaker från deras egen odling. Svarta vinbär från trädgården och blåbär från skogen. Driva på frusen älv kom naturligt av vad hon såg ute i naturen. Snön hade kommit så det var kritvitt ute. Hon såg svartvinbärsbuskarna utanför fönstret och hon spann vidare med mousse och långfil. Under fem dagar gjorde hon den flera gånger om dagen. Så smakar Norrland.

Nya landskapsrätten

»Färger och smaker uttrycker den norrbottniska andan, såväl den frusna och kärva som den luftiga och sunda. Långfilen överraskar i denna moderna rätt.«

TIPS! KANDERADE LIMESKAL
Koka upp 1/2 dl vatten och 1/2 dl socker. Lägg i 2 msk finstrimlat limeskal. Koka ca 2 minuter. Sila av. Lägg skalen på ett fat. Strö över socker, vänd runt och låt torka.

ÄLGFÄRSLIMPA

Karina Nilsson, Älvsbyn: En köttfärslimpa med chilisting och smak av medelhav som serveras med en krämig potatisgratäng med fänkål.

För 6 personer

800 g älgfärs	1 msk crème fraiche
2 msk ströbröd	smör
4 msk vatten	salt, svartpeppar
1 gul lök	**Potatis- och**
1 ägg	**fänkålsgratäng**
2 msk soja	800 g potatis (fast sort)
2 krm chilipulver	2 fänkål (ca 500 g)
7 droppar tabasco	4 dl vispgrädde
200 g fetaost	2 dl mjölk
2–3 msk röd pesto	

Gör så här:
1. Blanda ströbröd och vatten. Låt svälla ca 5 minuter.
2. Skala och riv löken grovt.
3. Blanda älgfärsen med lök, ströbröd, ägg, soja, chilipulver och tabasco. Krydda med 1/2 tsk salt och 2 krm peppar.
4. Lägg ut 2 bakplåtspapper och fukta dem med kallt vatten. Dela färsen i hälften och platta ut till en platta, ca 10 x 20 cm, på varje papper.
5. Gaffelmosa fetaosten och blanda med pesto och crème fraiche. Lägg på hälften av fyllningen längs med ena långsidan på varje färsplatta och rulla ihop. Tryck ihop sidorna så att fyllningen inte rinner ut. Lägg färslimporna i en smord ugnssäker form.
6. **Potatis- och fänkålsgratäng:** Sätt ugnen på 200°C.
7. Skala och skär potatisen i tunna skivor. Ansa och skär fänkålen i strimlor. Varva potatis, fänkål, 2 tsk salt och 2 krm peppar i en smord ugnssäker form.
8. Blanda grädde med mjölk och häll över. Ställ in i ugnen samtidigt som färslimporna och grädda ca 45 minuter.
9. Servera färslimpan med gratängen och inlagda rödbetor eller rödbets- och pepparrotsrasp. Garnera gärna med timjankvistar.

TIPS! RÖDBETS- OCH PEPPARROTSRASP
Skala och riv 2 färska rödbetor fint. Blanda med 3 msk finriven pepparrot, 2 msk flytande honung, 1 msk färskpressad citronjuice och 1 tsk salt.

HALSTRAD SIK MED LÖJROMSSÅS

Christer Nilsson, Kalix: Får man inte tag i den läckra siken kan den ersättas med röding eller regnbåge.

För 4 personer

ca 600 g benfri sikfilé
med skinnet kvar
1 kg mandelpotatis
1 dl crème fraiche
4 msk löjrom
1 rödlök
1 msk färskpressad
citronjuice

4 msk grovskuren dill
100 g späda salladsblad
2 tsk repad timjan
olivolja, smör
socker, salt
grovmalen svartpeppar

Gör så här:

1. Sätt ugnen på 225°C. Skala och skär potatisen i klyftor. Lägg på en bakpappersklädd plåt. Ringla över 2 msk olja. Strö över 2 tsk salt och 2 krm peppar. Blanda runt och ställ in i ugnen 20–25 minuter.
2. Blanda crème fraiche och löjrom. Smaka av med salt och peppar.
3. Skala, halvera och skär rödlöken i tunna skivor. Blanda löken med citronjuice, dill och 4 msk olja. Vänd ner salladsbladen.
4. Blanda timjan med 3 tsk socker, 3 tsk salt och 2 krm peppar. Strö blandningen på fiskens bägge sidor.
5. Stek fisken i en het och lättoljad stekpanna 1–2 minuter på varje sida.
6. Blanda potatisen, gärna ljummen, med salladen. Servera fisken med potatissalladen och löjromssåsen. Garnera gärna med dillvippor och citronklyftor.

I han huse dubbelsövel vi int!

LAPPLAND är Sveriges största landskap. I söder gränsar det mot Jämtland och sedan fortsätter det uppåt tills Sverige helt enkelt tar slut. Den mäktiga fjällkedjan i väster delas med Norge, och i norr finns Sveriges högsta berg, Kebnekaise. I Lappland har man livnärt sig på jakt och fiske i tusentals år. Naturen är storslagen med fjällmassiv, högplatåer, tundra och skog. Och däremellan blanka fjällsjöar och brusande älvar. Odlingen har mest bestått av korn, rovor och potatis.

Lappland är ett glest befolkat landskap, och kärvt i flera betydelser. Det svenska köldrekordet finns i Malgovik och lyder på 53 minusgrader. Men det är också ljusa sommarnätter och lägdor som färgats rosa av midsommarblomster och rallarros.

Landskapet är präglat av samerna och rennäringen. Att ta tillvara hela djuret är ett självklart sätt att vörda naturen; skinnet sitter man på i snön och de fina köttbitarna röks till delikatesser i rökkåtan.

Men Lappland är mer än Europas sista vildmark. Det är ishotellet i Jukkasjärvi, marknaden i Jokkmokk, ugnsstekt fjällröding och Hemavans svarta pister. Det är klimp i soppan och kärnfull hjortronsylt, det är paltkoma och tunnbröd, samer och nybyggare, älg och ren.

LKAB
är en internationell mineralkoncern och världsledande producent av järnmalm.

Ishotellet i Jukkasjärvi har nu byggts för tjugonde gången, och det är fortfarande lika exotiskt med –5°C i sovrummet, norrsken och iskonst.

Rymdbolaget skickar upp rymdfarkoster från Kiruna.

De e bar å åk!
Ingemar Stenmark

»Ett självklart val där gammalt förvaringssätt har gett en oslagbar delikatess!«
Lena Svensson

SUOVAS PIRKO

Suovas betyder liten rök på samiska. Suovas är alltså lättrökt och saltat renkött. Man skär det i tunna skivor och steker som renskav eller som här kokar i buljong med mandelpotatis och grönsaker.

För 6 personer
1 kg suovas
4 schalottenlökar
2 morötter
2 majrovor
1 msk konc viltfond per 5 dl vatten
600 g mandelpotatis
salt

Gör så här:
1. Skär köttet i 2–3 cm stora bitar. Skölj och lägg i en stor kastrull.
2. Skala löken. Skala och skär morot och majrova i grova bitar. Lägg grönsakerna i kastrullen. Häll på vatten + fond så att det täcker. Låt koka ca 25 minuter eller tills köttet är mört.

3. Ta bort skummet med en sked. Tillsätt ev mer vatten. Skala potatisen och lägg i kastrullen och låt koka med ca 10 minuter tills den är mjuk. Smaka av med salt.
4. Servera med smörat, mjukt tunnbröd.

I skafferiet

Ett kargt landskap som ändå har ett rikt skafferi av delikatesser som hjortron, ripa, röding och vilt. Men gamla nyheter som granskott, kvanne och älgört har också hittat sin väg till förädling. När allt kommer omkring är det vår natur som är viktigast, och den finns det gott om i Lappland.

MATMEDALJER

När SM i mathantverk avgjordes fanns många vinnare i södra Lappland. Martin Bergman i Vilhelmina tog guld både med sin citrongravade lax och med sin suovaslax. EG vilt fick medalj för sin rökta älgstek. Helens gårdsbutik i närheten tog guld med gelén hon gör på det nypopulära kråkbäret. Och Ingrid Pilto från den lilla byn Ammarnäs belönades för rökt kvanneröding.

VILT OCH GOTT

I viltaffären i Porjus finns förädlade råvaror från trakten. Renkött och älg, men också fisk från fjällsjöarna som rökts i kåta över öppen eld och kryddats med växter från skog och fjäll.

KOR ÄR KUL!

Holländaren Hanz de Waard är dietist i botten och lärde sig göra ost i Frankrike. För två år sedan köpte han två fjällkor och började experimentera. Idag har han tolv kor och producerar 400 kilo ost i månaden. Men det är inte alltid lätt att få den såld. Lapplänningarna är vana vid plastförpackat, och Hanz vill sälja sin opastöriserade gouda över disk. Lite färskost och kaffeost gör han också, för han bor ju trots allt i Jokkmokk!

Visste du att ...

Samisk glödkaka är ett slags tunnbröd som man gräddar på stekhäll över öppen eld.

SUGEN PÅ GOMPA?

Gompa är gjort på örten angelika, som i fjällen kallas kvanne. Den plockas på försommaren då den är späd, tillsammans med lite fjälltolta. Efter förvällning mals de ihop. Förr syrade man den, men idag fryses den i portioner. Ett par skedar i morgonfilen är en variant. Eller i sockerkakssmeten. Den sägs vara urnyttig och höll fjällfolket friska under nödåren.

SVAMP I GRUVAN

Två före detta LKAB-anställda besökte Japan för att berätta om hur man startar eget i en krisdrabbad kommun. Under resan fick Kirunagästerna besöka en svampodling. Idén om att odla svamp i världens största järnmalmsgruva föddes. Gruvchefen var positiv. Nu odlas svampen shiitake i gruvan, och man kan plocka svamp mitt i vintern.

KÖRVEN

På Jokkmokks korv köper de in hela djur (nöt) och tillverkar korvarnas Rolls Royce – det kan till och med finnas entrecôte i köttmassan. Köttet som används ska vara marmorerat, och de använder minimalt med kryddor för att behålla den fina köttsmaken. Deras rökta skinka görs i vedeldad rök. Inga röktillsatser här inte.

Nya landskapsrätten

»De finaste av lappländska råvaror, renkött och hjortron, shiitake och mandelpotatis, får här sällskap av exotiska smaker som kokosmjölk, mynta och ingefära. Presentationen med kött, svamp och äpple som ligger omgiven av en len och lätt sås och kryddad med en het hjortron-klick ger en modern touch.«

RENSKAVSGRYTA MED KRYDDIGA HJORTRON

En lättlagad gryta där det traditionella renskavet får sällskap
av en krämig kokossås.

För 4–6 personer
2 paket fryst renskav
(à 240 g)
2 gula lökar
2 äpplen (fast sort)
200 g shiitakesvamp
4 tsk finhackad ingefära
2–3 vitlöksklyftor
2 tsk torkad mynta
2 burkar kokosmjölk
(à 400 ml)
smör
salt, peppar
koriander till garnering

Gör så här:
1. Skala och finhacka löken. Dela, kärna ur och hacka
äpplena. Skär svampen i mindre bitar.
2. Fräs löken mjuk i 1 msk smör i en stekpanna.
Tillsätt renskav och svamp, stek 3–4 minuter tills allt
fått fin färg.
3. Tillsätt äpple, ingefära, pressad vitlök, mynta och
kokosmjölk. Rör om och låt koka någon minut. Krydda
med salt och peppar.
4. Lägg upp en hög med renskav i varma halvdjupa
tallrikar. Häll på såsen och garnera med koriander.
Servera med kryddiga hjortron och gärna pressad
mandelpotatis.

TIPS! KRYDDIGA HJORTRON
Dela, kärna ur och finhacka 1/2 chilifrukt (tex spansk peppar).
Koka upp 1 paket frysta hjortron (ca 250 g) med 1 msk
vatten och 1 msk socker. Tillsätt chili, 2 tsk finriven ingefära,
3–4 kryddnejlikor och 3–4 stjärnanis. Låt koka ca 3 minuter.
Ställ kallt.

DAVID PERSSON ÅLDER: 39 **FAMILJ:** Singel.
David, som bor i Stensele och är undersköterska på ett grupp-
boende, tycker om att laga mat och prova nya smaker. Men det
får gärna vara billiga, till synes enkla ingredienser som man med
hjälp av fantasin förvandlar till god mat. David köpte hem ren-
skav, men det var inte förrän sista tävlingsdagen som han kom
till skott och experimenterade fram sin rätt. Kokosmjölken kom
till eftersom han tycker om de asiatiska köken, och hjortron-
chutneyn är en variant på en med lingon som han brukar göra.

TIPS!
Lägg den strimlade isbergssalladen i iskallt vatten ca 30 minuter. Häll av och salladen blir extra krispig.

SUOVASKLÄMMA

Marie Karlsson, Vilhelmina: En saftig och smakrik klämma med en skön blandning av lappländska smaker.

För 4 personer
300 g suovas (eller
   renskav)
400 g kantareller
2 dl crème fraiche
2 msk hjortronsylt
2 små tomater
1/2 rödlök
150 g isbergssallad
4 mjuka tunnbröd
   (rektangulära)
4 msk rårörda lingon
smör
salt, vitpeppar

Gör så här:
1. Putsa suovasen och skär i mycket tunna skivor. Den går lättare att skära i tunna skivor om den är lite fryst.
2. Fräs kantarellerna i en stekpanna tills all vätska kokat bort. Tillsätt 1 msk smör och suovas och stek ca 5 minuter. Låt svalna.
3. Blanda crème fraiche, hjortronsylt, 2 krm salt och 1 krm peppar.
4. Skär tomaterna i skivor. Skala och skär löken i tunna skivor. Strimla salladen.
5. Lägg sallad, tomat och lök i en sträng på tunnbrödens ena kortsida. Fördela suovasfräset och hjortronröran ovanpå. Avsluta med en klick lingon och rulla sedan ihop, gärna i smörgåspapper.

FJÄLLRIPA MED RISOTTO PÅ MATVETE

LottaKarin Kristoffersson, Vilhelmina: En lappländsk delikatess som serveras med lokal svamp och en kul variant på risotto med matvete i stället för ris.

För 4 personer

4 ripor (à ca 400 g)	3 schalottenlökar
smör, rapsolja	2 vitlöksklyftor
salt, svartpeppar	4 dl matvete
salladsskott till garnering	3 dl vitt vin
Risotto	1 1/2 dl torkade tranbär
350 g taggsvamp (eller	(eller torkade hjortron)
250 g trattkantareller)	1 dl + 1/2 dl riven väster-
1 liter vatten + 2 1/2	bottenost
svampbuljongtärning	finrivet skal av 1/2 citron

Gör så här:

1. **Risotto:** Koka upp vattnet med buljongtärningarna.
2. Rensa bort taggarna från taggsvampen och skär den i mindre bitar. Fräs svampen tills all vätska kokat bort. Tillsätt 1 msk smör och fortsätt att fräsa några minuter. Ställ åt sidan.
3. Skala och finhacka schalottenlök och vitlök. Fräs löken glansig i 1 msk olja i en kastrull. Tillsätt matvetet, rör om och låt fräsa ca 1 minut.
4. Häll i vinet och låt koka in. Rör ner lite av svampbuljongen i omgångar. Koka på svag värme ca 30 minuter, tills matvetet är mjukt men har lite tuggmotstånd kvar. Rör ofta i risotton så att den blir krämig. Tillaga under tiden riporna.
5. **Ripa:** Sätt ugnen på 175°C. Bryn riporna runt om i 2 msk smör i en stekpanna. Lägg dem i en ugnssäker form med bröstsidan upp.
6. Stick in en köttermometer i den tjockaste delen. Ställ in i ugnen tills innertemperaturen är 60°C, det tar 7–8 minuter.
7. Ta ut riporna och vänd dem så att de ligger med bröstsidan ner. Linda in i smörpapper, låt vila ca 10 minuter.
8. Värm risotton och blanda i hälften av tranbären så de mjuknar. Tillsätt sedan svampen, rör om och låt allt bli varmt. Tillsätt ev lite mer buljong om det behövs.
9. Rör ner 3 msk smör, 1 dl riven ost och citronskal precis före servering. Smaka av med salt och peppar.
10. Skär loss bröst- och lårbitarna från riporna. Lägg upp risotto och ripa på varma tallrikar, toppa med resten av den rivna osten. Garnera med resten av tranbären och gärna salladsskott.

LANDSKAPSVAPEN, DJUR OCH BLOMMOR

ETT SÄTT ATT SKAPA gemenskap och sammanhållning i landskapen är olika symboler; allt från landskapsvapnen till djur, insekter och blommor. Här är ett urval.

Landskapsblommorna har amerikansk förebild. 1908 uppmanade Stockholms Dagblad landets botaniklärare att komma med lämpliga kandidater. Listan bearbetades av Botaniska trädgården i Stockholm. Två landskap gjorde våldsamt motstånd mot de tilldelade växterna, nämligen Skåne, som ville ha prästkrage i stället för bok, och Hälsingland, som hellre ville ha lin än tall, och de fick senare sin vilja igenom. Många i Härjedalen ville hellre ha mosippa än fjällviol och många i Dalarna hellre ängsklocka än blåklocka, men de protesterade inte lika högljutt som Skåne och Hälsingland.

Landskapsdjuren röstades fram med Världsnaturfondens generalsekreterare som ordförande och kung Carl Gustaf som hedersledamot 1988. Landskapsfåglarna utsågs också på 1980-talet, av Sveriges ornitologiska förening. Landskapsfiskarna togs fram 1994 av Fiskeriverket i samarbete med fiskevattenägare, sportfiskeklubbar och yrkesfiskare. Svamparna togs fram i samråd mellan svampvänner i Sverige på 1980-talet. Landskapsäpplena togs fram av Sveriges pomologiska sällskap 2005. Stenarna utsågs 1989 av Sveriges geologiska undersökning efter förslag från berggrundsgeologer. Insekterna är framtagna av Sveriges entomologiska förening år 1998. Grundämnena är föreslagna av Svenska nationalkommittén för kemi för att stimulera intresset för kemi i landet.

Ett stort antal landskapsvapen kom till 1560, till Gustav Vasas begravningståg då varje provins skulle representeras i flaggform efter kontinental förebild. 100 år senare, vid Karl X Gustavs begravningståg, tillkom ytterligare landskapsvapen. Flera av motiven på vapnen har ännu äldre ursprung.

	BLEKINGE	SKÅNE
YTA	2 941 km²	11 027 km²
ANTAL INVÅNARE 2009	151 899	1 197 161
HÖGSTA PUNKT	Rävabacken (189 m ö h)	Söderåsen (212 m ö h)
STÖRSTA STAD	Karlskrona	Malmö
LANDSKAPSDJUR	Ekoxe	Kronhjort
LANDSKAPSFÅGEL	Nötväcka	Glada
LANDSKAPSFISK	Torsk	Ål
LANDSKAPSSVAMP	Jätteticka	Ängschampinjon
LANDSKAPSÄPPLE	Melonäpple	Aroma
LANDSKAPSBLOMMA	Kungsljus	Prästkrage
LANDSKAPSINSEKT	Ekoxe	Bokskogslöpare
LANDSKAPSSTEN	Kustgnejs	Flinta
GRUNDÄMNE	Magnesium	Aluminium

1 BLEKINGE, 2 SKÅNE, 3 HALLAND, 4 GOTLAND, 5 ÖLAND, 6 SMÅLAND, 7 ÖSTERGÖTLAND, 8 VÄSTERGÖTLAND, 9 BOHUSLÄN, 10 DALSLAND, 11 VÄRMLAND, 12 NÄRKE, 13 VÄSTMANLAND, 14 SÖDERMANLAND, 15 UPPLAND, 16 DALARNA, 17 GÄSTRIKLAND, 18 HÄLSINGLAND, 19 MEDELPAD, 20 ÅNGERMANLAND, 21 HÄRJEDALEN, 22 JÄMTLAND, 23 VÄSTERBOTTEN, 24 NORRBOTTEN, 25 LAPPLAND

HALLAND	GOTLAND	ÖLAND	SMÅLAND	ÖSTER-GÖTLAND	VÄSTER-GÖTLAND	BOHUSLÄN	DALSLAND
4 786 km²	3 140 km²	1 342 km²	29 330 km²	9 979 km²	16 709 km²	4 473 km²	3 708 km²
298 110	57 122	24 541	716 106	418 480	1 220 301	282 949	51 330
Högalteknall (226 m ö h)	Lojsta hed (82 m ö h)	Högsrum (55 m ö h)	Tomtabacken (377 m ö h)	Stenabohöjden (327 m ö h)	Galtåsen (362 m ö h)	Björnerödspiggen (222 m ö h)	Baljåsen (302 m ö h)
Halmstad	Visby	Färjestaden	Kalmar	Linköping	Göteborg	Uddevalla	Åmål
Lax	Igelkott	Näktergal	Utter	Knölsvan	Trana	Knubbsäl	Korp
Pilgrimsfalk	Halsbands-flugsnappare	Näktergal	Taltrast	Knölsvan	Trana	Strandskata	Korp
Lax	Piggvar	Skrubbskädda	Mal	Gädda	Lake	Makrill	Hornsimpa
Blodsopp	Jordstjärna	Vårmusseron	Koralltagg-svamp	Kantkremla	Scharlakansröd vaxskivling	Ängsvaxskivling	Smörsopp
Brunnsäpple	Stenkyrke	Ölands kungs-äpple	Hornsberg	Gyllenkroks astrakan	Kavlås	Veseäpple	Oranie
Ginst	Murgröna	Solvända	Linnea	Blåklint	Ljung	Vildkaprifol	Förgätmigej
Ollonborre	Riddarskinn-bagge	Rosenvingad gräshoppa	Bålgeting	Läderbagge	Alkonblåvinge	Myskbock	Aspfjäril
Charnokit	Hoburgs-kalksten	Ortoceratit-kalksten	Växjögranit	Kolmårds-marmor	Platådiabas	Bohusgranit	Kvartsit
Natrium	Kalcium	Jod	Kalium	Fosfor	Uran	Klor	Kisel

	VÄRMLAND	NÄRKE	VÄST-MANLAND	SÖDER-MANLAND	UPPLAND	DALARNA	GÄSTRIK-LAND
YTA	18 204 km²	4 126 km²	8 363 km²	8 388 km²	12 676 km²	29 086 km²	4 181 km²
ANTAL INVÅNARE 2009	312 591	190 127	287 488	1 153 565	1 390 914	275 715	146 243
HÖGSTA PUNKT	Granberget (701 m ö h)	Tomasbohöjden (298 m ö h)	Fjällberget (466 m ö h)	Skogsbyås (124 m ö h)	Tallmossen (118 m ö h)	Storvätteshogna (1 204 m ö h)	Lustigknopp (402 m ö h)
STÖRSTA STAD	Karlstad	Örebro	Västerås	Stockholm*	Stockholm*	Borlänge	Gävle
LANDSKAPSDJUR	Varg	Hasselmus	Rådjur	Fiskgjuse	Havsörn	Berguv	Tjäder
LANDSKAPSFÅGEL	Smålom	Gulsparv	Tofsmes	Fiskgjuse	Havsörn	Berguv	Storlom
LANDSKAPSFISK	Nors	Benlöja	Gös	Braxen	Asp	Elritsa	Strömming
LANDSKAPSSVAMP	Sotvaxskivling	Stolt fjällskivling	Trattkantarell	Svart trumpet-svamp	Karljohan	Sandsopp	Fjällig tagg-svamp
LANDSKAPSÄPPLE	Stenbock	Sickelsjö vinäpple	Fagerö	Åkerö	Bergius	Tunaäpple	Malmbergs gylling
LANDSKAPS-BLOMMA	Skogsstjärna	Gullviva	Mistel	Vit näckros	Kungsängslilja	Ängsklocka/blåklocka	Liljekonvalj
LANDSKAPSINSEKT	Brun gräsfjäril	Vassmosaik-slända	Boknätfjäril	Strimlus	Cinnoberbagge	Violettkantad guldvinge	Hagtornsfjäril
LANDSKAPSSTEN	Kyanit-kvartsit	Dolomit-marmor	Kvartsbandad blodstensmalm	Granatåder-gnejs	Hälleflinta	Porfyr	Gävlesandsten
GRUNDÄMNE	Mangan	Zink	Kväve	Litium	Yttrium	Koppar	Krom

HÄLSING-LAND	**MEDELPAD**	**ÅNGER-MANLAND**	**HÄRJEDALEN**	**JÄMTLAND**	**VÄSTER-BOTTEN**	**NORR-BOTTEN**	**LAPPLAND**
14 264 km²	7 058 km²	19 800 km²	11 954 km²	34 009 km²	15 093 km²	26 671 km²	109 702 km²
131 125	122 715	134 180	10 120	112 750	208 831	193 374	95 707
Garpknölen (669 m ö h)	Myckelmyrberget (577 m ö h)	Tåsjöberget (635 m ö h)	Helagsfjället (1 797 m ö h)	Storsylen (1 743 m ö h)	Åmliden (551 m ö h)	Vitberget (594 m ö h)	Kebnekaise (2 104 m ö h)
Hudiksvall	Sundsvall	Örnsköldsvik	Sveg**	Östersund	Umeå	Luleå	Kiruna
Lodjur	Skogshare	Bäver	Björn	Älg	Storspov	Lavskrika	Fjällräv
Slaguggla	Korsnäbb	Gråspett	Kungsörn	Hökuggla	Blå kärrhök	Sångsvan	Blåhake
Id	Abborre	Sik	Harr	Öring	Flodnejonöga	Siklöja (som man får löjrom från)	Röding
Blek taggsvamp	Fårticka	Sillkremla	Gulkremla	Blodriska	Rynkad tofsskivling	Stenmurkla	Tegelröd björksopp
Bergviksäpple	Sundsäpple	Kramfors	Rött kaneläpple	Rödluvan	Transparante blanche	Silva	Rescue
Lin	Gran	Styvmorsviol	Mosippa	Brunkulla	Kung Karls spira	Åkerbär	Fjällsippa
Svavelgul höfjäril	Mnemosynéfjäril	Boknätfjäril	Fjällvickerblåvinge	Stormhattshumla	Större svartbagge	Praktsammetslöpare	Högnordisk höfjäril
Dellenit	Alnöit	Nordingrågranit	Tännäsögongnejs	Täljsten	Kopparkis	Gabbro	Apatit
Nickel	Väte	Kol	Palladium	Syre	Guld	Järn	Silver

*Stockholm delas mellan Södermanland och Uppland. En äldre skiljelinje mellan landskapen går mitt genom Stockholm vid Västerlånggatan 27 i Gamla stan. Där finns en gränssten inmurad. Största enskilda stad i Södermanland är Södertälje och i Uppland är det Uppsala.

**saknar stad, Sveg är största orten.

REGISTER SAMTLIGA RÄTTER A–Ö

NYA FÖRRÄTTER, VARMRÄTTER, DESSERTER

TRADITIONELLA LANDSKAPSRÄTTER

JURYDELTAGARNA

Hela 76 personer deltog i juryarbetet när Sveriges nya landskapsrätter skulle utses. Under tre veckor smakade de sig igenom 75 final-
rätter. En jurygrupp för varje landskap, bestående av 6–8 personer, beslutade om vilka rätter som nu är de officiella landskapsrätterna.

Kimmo Ahlgren, Handlare, ICA Nära Oskarstorget, Örebro. **Fredrik Andersson,** Handlare, ICA Nära Folkes Livs, Uppsala. **Roger Andersson,** Hand-
lare, ICA Nära Skansen, Mörbylånga. **Kenneth Bengtsson,** Koncernchef och VD, ICA AB. **Cecilia Boman,** Projektledare, Lantbrukarnas Riksförbund.
Emil Boson, Matcoach, ICA Skolan. **Christer Brostedt,** Handlare, ICA Supermarket Viksäng, Västerås. **Anders Brännström,** Handlare, ICA Supermarket,
Boden. **Andreas Bottin,** Marknadsplanerare ICA Supermarket, ICA Sverige AB. **Lars Bäckström,** Landshövding, Västra Götalands län. **Sara Carlén,**
Butikschef, ICA Supermarket, Sörberge. **Greger Carlpihl,** Handlare, ICA Supermarket Klostergatan, Jönköping. **Janet Carlsson,** Handlare, ICA
Kvantum, Höganäs. **Jesper Cedermark,** Kategorichef, ICA Sverige AB. **Gunilla Claesson,** Stabshandläggare, Kronobergs län. **Peter Cullberg,** Handlare,
ICA Supermarket, Åmål. **Lars Göran Dahlman,** Butikschef, ICA Supermarket, Skoghall. **Magnus Dahlström,** Handlare, ICA Nära, Bergby. **Lars Engqvist,**
Landshövding, Jönköpings län. **Gunvor Engström,** Landshövding, Blekinge län. **Eva Eriksson,** Landshövding, Värmlands län. **Ola Fernvall,** Chef
Strategisk information, ICA Sverige AB. **Rose-Marie Frebran,** Landshövding, Örebro län. **Paula Frösell,** Projektledare Marknad, ICA Sverige AB.
Erik Geijer, Handlare, ICA Nära Linnévägen, Katrineholm. **Stefan Gideskog,** Chef service management, ICA Sverige AB. **Anna Gidgård,** Redaktör.
Anders Granath, Tf Landshövding, Gotlands län. **Ulla Grönlund,** Näringslivschef, Lappland, Norrbotten och Västerbotten. **Niclas Haglund,** Art
Director, ICA Sverige AB. **Anders Hallgren,** Förbundssekreterare ICA-handlarnas Förbund. **Arthur Hansson,** Handlare, ICA Supermarket, Uddevalla.
Christina Hansson, Handlare, ICA Supermarket, Uddevalla. **Henrik Hernberg,** Projektledare Affärsutveckling, ICA Sverige AB. **Mats Hindström,**
Landsbygdschef, Gävleborgs län. **Magnus Holgersson,** Tf Landshövding, Östergötlands län. **Ellinor Jidenius,** Redaktör, Buffé. **Therese Johansson,** Key
Account Manager, ICA Sverige AB. **Ingrid Jonasson Blank,** Vice VD, ICA Sverige AB. **Lars-Ove Jonsson,** Etableringschef, ICA Sverige AB.
Peter B Jonsson, Handlare, ICA Supermarket, Kåge och Skelleftehamn. **Ritha Jonsson,** Landsbygdschef, Ångermanland och Medelpad. **Eva Junevad,**
Chef Media Innehåll, ICA Sverige AB. **LooAnna Jönsson,** Marknadsplanerare, ICA Nära, ICA Sverige AB. **Anne-Christine Karlkvist,** Projektledare
Marknad, ICA Sverige AB. **Ann-Louise Karlsson,** Handlare, ICA Supermarket Britsarvet, Falun. **Tobias Karlsson,** Chef Kommunikationsutveckling,
ICA Sverige AB. **Bo Könberg,** Landshövding, Södermanlands län. **Paul Dino Larsson,** Handlare, ICA Maxi, Visby. **Peter Lindqvist,** Business Analyst
Group IT, ICA Sverige AB. **Jonas Lundberg,** Marknadschef ICA Kvantum, ICA Sverige AB. **Lars-Erik Lövdén,** Landshövding, Hallands län. **Wolfgang
Mai,** Handlare, ICA Supermarket Eneby, Norrköping. **Maria Martinsson,** Projektledare Marknad, ICA Sverige AB. **Elisabet Mattsson,** Handlare,
ICA Supermarket, Sörberge. **Henrik Melin,** Försäljningschef, ICA Maxi, Alingsås. **Lars-Inge Melin,** Handlare, ICA Maxi, Olofström. **Maria Norrfalk,**
Landshövding, Dalarnas län. **Tord Oskarsson,** Handlare, ICA Nära Ladan, Kaxås. **Helen Rundqvist,** Chef ICA Köket. **Rebecca Sjögren,** Art Director,
ICA Sverige AB. **Ingemar Skogö,** Landshövding, Västmanlands län. **Bo Strömgren,** Länsledningsdirektör, Skånes län. **Bengt-Åke Strömquist,** Länsråd,
Jämtlands och Härjedalens län. **Kristina Söderström,** Butiksbiträde, ICA Supermarket, Sörberge. **Anna Söderberg,** Landshövdingssekreterare,
Stockholms län. **Nina Tarukoski,** Projektledare Marknad, ICA Sverige AB. **Camilla Thörnqvist,** Redaktör, Buffé. **Per Unckel,** Landshövding,
Stockholms län. **Tony Wallin,** Chefredaktör, Buffé. **Jörgen Wennberg,** VD, ICA Banken AB. **Sandra Wennberg,** Brand Manager EMV, ICA Sverige AB.
Stefan Wieloch, Handlare, ICA Supermarket, Båstad. **Peter Wigstein,** Sponsorchef, ICA Sverige AB. **Magnus Wikner,** Marknadschef, ICA Sverige AB.
Samuel Young, Projektledare Marknad, ICA Sverige AB.

CITATEN

Varje landskapkapitel i boken inleds med ett dialektalt matcitat. I vissa fall kan dessa med lätthet förstås av alla svensktalande, men i en del fall är citaten svårförståeliga för alla som inte kan dialekten. Därför presenterar vi här översättningar till enkel svenska.

BLEKINGE: (sid 14) Tvätta dig om händerna, vi ska äta.

SKÅNE: (sid 22) Mycket mat, god mat och mat i rättan tid.

HALLAND: (sid 30) Sedan åt de så att det stod härliga till.

GOTLAND: (sid 38) Ät nu och kom inte som sist och säg att du inte fick något!

ÖLAND: (sid 46) Kan du gissa hur många kroppkakor jag har i min påse så ska du få alla åtta.

SMÅLAND: (sid 54) Nu ska här bli kalas!

ÖSTERGÖTLAND: (sid 62) Potatis, sill och lingon, det är gott det, sa drängen.

VÄSTERGÖTLAND: (sid 70) Ni får väl ta av det lilla som finns, sa grannfrun och bjöd på sexton sorter.

BOHUSLÄN: (sid 78) Var inte så girig, fisken ska räcka till alla.

DALSLAND: (sid 86) Ta lite till, en liten smula i alla fall.

VÄRMLAND: (sid 94) Det är allt bra gott med något tilltugg till.

NÄRKE: (sid 102) Det var hett så att de kunde steka sill på väggarna.

VÄSTMANLAND: (sid 110) Nu ska ni äta riktigt mycket, för det är ni värda.

SÖRMLAND: (sid 118) Det är inte så synd om dem, för de har både potatis, strömming och mjölk.

UPPLAND: (sid 126) Den som inte vill äta soppan får inte heller äta köttet.

DALARNA: (sid 134) Där fick jag mig ett riktigt skrovmål.

GÄSTRIKLAND: (sid 142) Det var både korv och palt.

HÄLSINGLAND: (sid 150) Jag har både ätit och druckit.

MEDELPAD: (sid 158) Kom förbi här så får ni kaffe och kakor.

ÅNGERMANLAND: (sid 166) Det blir mer när man plockar hjortron än blåbär.

HÄRJEDALEN: (sid 174) Det är gott att äta på andra gårdar (hos andra).

JÄMTLAND: (sid 182) Du ska väl inte bara äta sovel*, du får äta bröd också.

VÄSTERBOTTEN: (sid 190) Svamp, det tycker bara de rika och korna om.

NORRBOTTEN: (sid 198) Vi äter först, sa bonden då han såg att bastun brann.

LAPPLAND: (sid 206) I det här huset äter vi inte bara sovel.*

*Sovel = kött, potatis och sås.

Leif Grönlund, Torbjörn Fernström och **Gudrun Borglund** som lagade upp alla 75 rätterna till finalerna. Och till **Sammy Davidsun** som serverade dessa.
Malin Karlén Andersson, Åsa Berger, Ylva Bergqvist och **Camilla Östman** som provlagade flera hundra rätter för urvalet till finalerna.
Magnus Wikner och **Nina Tarukoski** som var ansvariga för projektet med de nya landskapsrätterna.
Peter Wigstein, ICA, och **Markus Burkart,** kungens kock, som ordnade med köksmötet på slottet.
Jenny Öqvist på dialektavdelningen på Institutet för Språk och Folkminnen i Uppsala som hjälpte till med dialektcitaten.
Margareta Frost-Johansson, Eleonor Schütt, Kristina Wikström, AnnaKarin Landin med flera matkonsulter på Hushållningssällskapen.
Sten Janér, Magdalena Urbanska med flera i det europeiska nätverket för regional matkultur.
Gense, Himla, ICA non food med flera som lånade ut rekvisita.
Niklas Arkhammar, Marcus Hubertson och **Tommy Nilsson** som såg till att bilderna blev fina i tryck.

Anna Backlund, projektmedarbetare, Eldrimner. **Hans Bergsten,** utvecklingsledare, MatHalland. **Cecilia Boman,** projektledare, LRF.
Staffan Brännstam, chefredaktör, tidningen Bolaget. **Kaija Carlson,** handlare, ICA Kvantum, Gränby. **Peter Daun,** projektledare, Goda Gotland.
Carina Gossas, projektledare, Livsmedelsverige. **Auni Hamberg,** projektledare, Mat i Västmanland **Mats Hindström,** avdelningschef, Länsstyrelsen
i Gävleborgs län. **Ingar Hirseland,** Jarseglass. **Mia Jonsson,** projektledare, Lokalproducerat i Väst. **Henrik Klackenberg,** statsheraldiker, Riksarkivet.
Kerstin Kårén, projektledare, Våga Växa Västernorrland. **Barbro Uhlin,** potatisambassadör, Västernorrland. **Susanne Jonsson,** kock, Västerbotten.
Anne Wilks, projektledare, Ölands skördefest. **Ann-Mari Williamsson,** kokboksförfattare, Blekinge. **Britt-Marie Stegs,** VD, Hälsinge Lantkök.

... och stort tack till alla er andra som bidragit med engagemang och kunskap för att göra den här boken till vad den blev.